SIBERIANA

la música y la letra
en les alincaió og

Jesús Díaz

SIBERIANA

ESPASA

ESPASA ℭ NARRATIVA

Directora de la colección: Constanza Aguilera
Editora: Loida Díez

Diseño de la colección e ilustración de cubierta: Tasmanias
Realización de cubierta: Ángel Sanz Martín
Foto del autor: Anna Löscher

Depósito legal: M. 13.752-2000
ISBN: 84-239-7978-4

Espasa, en su deseo de mejorar sus publicaciones, agradecerá cualquier
sugerencia que los lectores hagan al departamento editorial por correo
electrónico: sugerencias@espasa.es

Impreso en España/Printed in Spain
Impresión: HUERTAS, S. A.

Editorial Espasa Calpe, S. A.
Carretera de Irún, km 12,200. 28049 Madrid

Para Elvira

«Pajarillo que espera junto a la acequia;
si no pica se muere, si pica peca.»

CANCIÓN POPULAR

ÍNDICE

AIRE

Cuando los cuatro enormes motores de la Bestia empezaron a rotar Bárbaro Valdés se mordió los labios para que no se le escapara un grito de espanto; lo sobrecogía separarse de la tierra y sin embargo ya nada podía impedir que en un par de minutos la Bestia se aventurara en el aire, un elemento incomparablemente más sinuoso, traicionero y hostil que el fuego y que el agua. Hubiese deseado no mirar las advertencias inscritas en las pantallitas que pendían del techo, *Fasten seat belts! No smoking!,* pero éstas lo atraían como la luz a las libélulas porque le prohibían fumar y para colmo lo obligaban a resistir la presión de los crecientes temblores de la cabina atado al asiento por el cinturón de seguridad como un condenado a la silla eléctrica. ¡Oh, Dios!, ¿por qué no habría tenido el coraje de rechazar la insensata encomienda de irse a hacer un reportaje al fin del mundo, a la mismísima Siberia nada menos? Sabía perfectamente que negarse y reconocer ante sus jefes y colegas que le tenía pavor a los aviones hubiera significado el desplome total de su autoestima y quizá también el principio del fin de su carrera como periodista, pero aun así se maldijo por haber aceptado e intentó traquearse los dedos para dominar la ansiedad. Sudaba tanto que le resultó imposible agarrárselos con fuerza, se llevó las manos a la cabeza para secarse las palmas con el pelo y resultó sacudido por una impresión tan fuerte que le produjo una carcajada nerviosa. Tenía los pelos de punta. Jamás había visto que semejante fenómeno le ocurriera a un negro como él pero la conjunción de la estática y el miedo habían obrado el milagro de desrizarle y pararle el cabello. Sus esfuerzos por aplacarlo resultaron inútiles, en cuanto retiraba las manos de la cabeza los pelos negros, gruesos y enroscados en espiral sobre sí mismos volvían a ponerse de punta como si tuvieran vida propia.

La Bestia seguía bufando cada vez con más fuerza en la cabecera de la pista y Bárbaro se olvidó de su pelo y se aferró a los brazos del asiento rogándoles a Changó y a Santa Bárbara que lo acompañaran. Sus dioses tenían que ayudarlo, no en balde les había hecho una promesa que debía intentar cumplir a todo trance si alcanzaba a llegar sano y salvo a Siberia: acostarse con una mujer por primera vez en su vida. Más allá de su miedo era consciente de haber aceptado la terrible prueba de volar hasta el otro extremo del mundo porque albergaba la ilusión de que allá, en aquella lejanía blanca, tan distante de la presión de los suyos, sería capaz de llevarse una hembra a la cama y entrar al fin en el misterio. Pero ahora no estaba seguro de poder conseguirlo, ni de llegar siquiera a su destino. La Bestia temblaba con una fuerza tan extraordinaria como la de un animal que en unos instantes se volvería definitivamente loco y se dispararía hacia adelante; no pudo dominar el impulso de mirar la vertiginosa rotación de aquellas hélices gigantescas y cerró los ojos espantado. Fue como si el movimiento de sus párpados hubiese operado el mecanismo que liberó los frenos y permitió a la Bestia romper la inercia y empezar a desplazarse por la pista tan despaciosamente que Bárbaro alcanzó a suspirar y a sentir cómo sus pelos tornaban a enroscarse y volvían a su sitio. Pero la calma se quebró de inmediato. La Bestia ganaba velocidad de modo creciente y suicida y él experimentó la paradójica sensación de estar sufriendo lentamente aquella aceleración demencial. La Bestia corría como alma que lleva el Diablo y ese mismo Demonio se encargaba de que cada segundo de carrera durara todo un siglo en el tumultuoso corazón de Bárbaro, que estaba a punto de reventar como un siquitraque cuando la Bestia despegó las ruedas del asfalto y él ya no pudo dominarse y soltó un alarido.

Abrió los ojos dispuesto a ahorcar a la azafata que viniera a reprenderlo y se hizo la ilusión de conseguir liberarse trasvasando su miedo al cadáver de la maldita. Nadie acudió a su asiento. ¿Quién iba a atreverse si la Bestia seguía separándose de la tierra, guardaba las ruedas y continuaba ascendiendo convertida en una especie de pájaro gigantesco al que el Diablo le hubiese arrancado las patas? Aquél era el momento de mayor peligro y Bárbaro lo sabía perfectamente pese a no haber volado jamás. Había mucho viento, tanto que muy bien podía producirse una cizalladura vertical, el fenómeno atmosférico que más temían los pilotos, las tripulaciones y las gentes como él, que lo sabían todo sobre el aire pero que sólo hallaban sosiego cuando tenían los pies en la tierra que ahora continuaba alejándose segundo a segundo y que volvió a acercarse vertiginosamente cuando la Bestia perdió sustentación y pegó un bajonazo. Bárbaro sintió cómo el estómago le subía hasta la garganta impidiéndole pegar otro alarido y convenciéndolo de que sus dioses lo habían abandonado. Ahora la Bestia era un juguete en manos de la cizalladura vertical, aquel viento feroz que la golpearía una y otra vez hasta reventarla contra la tierra provocando el estallido de los tanques de gasolina y entregando al fuego la carne de Bárbaro, presa ya de la fiebre que le producía la incontrolable necesidad de vomitar que lo acometió de pronto y apenas le dio tiempo para extraer un cartucho de la bolsa del asiento delantero y volcar en él una mezcla asquerosa de restos del almuerzo.

La Bestia reemprendió el ascenso trabajosamente, aunque Bárbaro no encontró paz en ello; no le cabía en la cabeza que aquel TU 104, el avión más grande y pesado del mundo, pudiera vencer la ley de la gravedad con sus viejos motores de hélice. Puso el cartucho del vómito bajo el asiento y cedió a la tentación de mirar a través de la ventanilla cómo la tierra continuaba alejándose hasta el punto de que los hombres parecían hormigas; las palmas reales, fósforos; La Habana, una caja de cigarrillos. Desesperaba por fumar, pero el *No smoking!* seguía rebrillando en las pantallitas y él conocía perfectamente la causa de aquella prohibición absoluta y estaba dispuesto a respetarla a rajatabla. Los aviones usaban gasolina de altísimo octanaje y durante el despegue producían un halo volátil tan largo como la cabellera de un cometa que se filtraba incluso de la cabina, de modo

que si se atrevía a encender un simple fosforito provocaría una bola de fuego, una explosión descomunal y
adiós Lola. La Bestia reventaría con tanta fuerza como
ningún aparato lo había hecho nunca. No sólo era el
avión más grande del mundo, también acababa de emprender el vuelo comercial más largo de la historia, La
Habana-Moscú sin escala a través del Círculo Polar
Ártico, e iba tan relleno de combustible que el exceso de
peso sólo le permitía llevar treinta pasajeros pese a que
tenía capacidad para trescientos. Aquella despropor-
ción desazonaba a Bárbaro, que tuvo la impresión de
estar volando en un gigantesco palacio vacío. Sólo había dos pasajeros más en la enorme cabina que le tocó en
suerte y que podía despresurizarse en cualquier momento según había explicado la azafata antes del despegue. En ese caso una máscara de oxígeno caería automáticamente desde el techo de la Bestia y él debería
aplicársela a nariz y boca y respirar tranquilo. Pero,
¿cómo conseguirlo si había nacido con la nariz aplas-
tada? Volvió a mirar por la ventanilla pensando que las
máscaras de oxígeno eran cosa de blancos, y sólo entonces cayó en la cuenta de que la Bestia había dejado atrás
La Habana y sobrevolaba el valle de Yumurí a tanta distancia que los palmares parecían yerbajos, pasaba en un
santiamén por sobre la empequeñecida ciudad de Ma-
tanzas, giraba a la izquierda al vislumbrar la fuga de
azules de la playa de Varadero y le entraba de frente al
Corredor Internacional del Norte.

Ahora tenía que aventurarse a cruzar el Atlántico,
Europa y buena parte de Rusia hasta llegar a Moscú,
que no era todavía, sin embargo, el final de aquel vuelo
interminable. En el aeropuerto de Sheremetievo, Bárbaro debía abordar otra Bestia que sobrevolaría lo que

quedaba de Europa oriental y se internaría en Siberia hasta conducirlo a Irkust, su destino. En eso, un agudo «¡Piiing!» le hizo levantar la cabeza, reparó en que el *No smoking!* se había apagado y encendió un cigarrillo. Apenas había empezado a disfrutarlo cuando sonó un segundo «¡Pinnng!», el *Fasten seat belts!* se borró de inmediato y la necesidad de ir al servicio se le hizo impostergable. Apagó el cigarrillo recién encendido, liberó el cierre del cinturón de seguridad, recogió el cartucho con los restos de vómito y venció el temor que le provocaba el ponerse de pie. No experimentó ninguna sensación particular mientras caminaba por el pasillo de la Bestia, pese a que tenía todos los sentidos atentos a ello. Era increíble. Estaba caminando por el aire, a miles de metros de altura, y no sentía nada. Al acercarse al primer asiento ocupado que encontró en el camino ralentizó el paso para mirar a su compañera de viaje, una rubia cuarentona, envuelta en carnes, que mataba el tedio con la ayuda de un pequeñísimo juego de ajedrez provisto de imanes. Captó de inmediato que la mujer ensayaba una variante de la defensa Caro Khan y pensó que le gustaría jugar con ella y preguntarle que si no le parecía extraordinario estar moviendo piezas allí, en las nubes. Pero la mujer estaba ensimismada y él tenía tanta urgencia por llegar al baño que siguió su camino. Tres filas después pasó junto al segundo y último habitante de la cabina, un blanco cincuentón y calvo que le dirigió una mirada hueca. Entró al bañito, donde apenas cabía; parecía diseñado para liliputienses y él era todo un negrazo. Pese a la urgencia de sus deseos tardó más de un minuto en asegurarse de que el *Waist disposal* era el sitio preciso donde deshacerse del cartucho que contenía el vómito; lo aterraba la idea de equivocarse y meter sus miserias en un lugar que las condujera a los motores, donde podrían provocar un desastre.

Al fin se bajó el pantalón, se sentó en la taza del inodoro y las rodillas le quedaron rozando la puertecilla del minúsculo compartimento. Cuando empezó a aliviarse recordó la Casa de Muñecas de su tía Lucinda, el juguete que más le había gustado en la vida. Era espléndida, tenía dos pisos, un garajito, un cadillac enano pero fantástico, idéntico a los que se veían en las películas, un jardincito con flores de plástico en miniatura y una piscinita preciosa, con la superficie cubierta por un cristal pintado de verde claro que imitaba perfectamente el agua. Lo mejor de aquella Casa de Muñecas era que la habitaba una familia de muñequitos tan rica, bienllevada y feliz como jamás había sido la suya; lo peor era que Remberto, su padre, no le permitía jugar con ella, convencido de que las casas de muñecas no eran cosa de hombres. De modo que Bárbaro tenía que divertirse con la casita en secreto, lo que le resultaba difícil, pues se trataba de un juguete muy grande, o bien soñar con ella, cosa que nadie podía impedirle. Un bañito como aquel en el que estaba, por ejemplo, le hubiese venido de perillas a su Casa de Muñecas; aunque allí, desde luego, no brillaría el *No smoking!* que ahora tenía en frente como un recordatorio de que el halo volátil de la Bestia acechaba a su lado y de que la menor equivocación podía convertirlo en una bola de fuego. Cuando terminó de obrar y empezó a limpiarse un nuevo «¡Pinnng!» lo paralizó e inmediatamente una orden inapelable se iluminó frente a sus ojos, *Return to your seat!* Se preguntó cómo volver a su asiento con el culo sucio, inspiró profundamente e intentó terminar de limpiarse a toda prisa. Pero la Bestia empezó a estremecerse, las paredes del bañito a temblar y él a sufrir un inagotable ataque de diarrea. Por suerte no se había movido de la taza y su mierda se dirigía al cielo; alcanzó a pensar que se estaba cagando en Dios y se aterró al caer en la cuenta de que aunque había gritado muchas veces aquella barbaridad ahora la estaba llevando a cabo, literalmente. El Todopoderoso no podía tolerar semejante herejía e iba a castigarlo destrozando a la Bestia que ahora se estremecía con tanta fuerza como si estuviese a punto de desencuadernarse y dejar a Bárbaro entre las nubes, con el culo al aire, colgado de un pedacito de papel higiénico. Volvió a mirar al apremiante *Return to your seat!* y se aplicó a limpiarse como pudo, tratando de torear los bandazos de la Bestia, así que cuando decidió subirse el calzoncillo y el pantalón aún se sentía medio sucio. Pero también experimentaba un ataque de claustrofobia y no podía permanecer esperando la muerte en aquel bañito, así que salió al pasillo sin lavarse siquiera las manos.

La Bestia crujía como batida por un huracán, el *Fasten seat belts!* estaba encendido y su asiento quedaba lejísimo, casi en el otro extremo de la cabina. Sabía que llegar sería una hazaña y quedarse en el pasillo un suicidio, pues en medio de una turbulencia como aquélla el verdadero peligro residía en no tener abrochado el cinturón de seguridad. Cualquier súbito descenso de la Bestia podía proyectarlo contra el techo de la cabina, romperle la crisma y adiós muchachos compañeros de la vida. Lo acometió un acceso de pánico y echó a correr pasillo arriba dando tumbos como un borracho hasta llegar a su asiento, donde se abrochó el cinturón de seguridad justo a tiempo para evitar que el brutal bajonazo que la Bestia pegó en esos momentos lo proyectara contra el techo. Entonces el vuelo pareció estabilizarse y él buscó a su alrededor dispuesto a recibir una mirada de admiración y a compartir los rescoldos del miedo con sus compañeros de viaje, testigos ocasionales de su hazaña. Quedó atónito al comprobar que estaba prácticamente solo en aquella cabina, recordó que conocía ese detalle desde antes de ir al baño, y no alcanzó a comprender cómo el miedo había podido obnubilarlo hasta el punto de impedirle ver que todos los asientos menos dos estaban vacíos, y hacerle correr el riesgo de buscar el suyo cuando pudo haberse sentado en cualquier otro. Pero ya estaba a salvo, y al fin podía fumarse un cigarrito y dedicarse a imaginar en paz cómo acumular valor, suerte y atrevimiento para poder cumplir la promesa que le había hecho a sus dioses antes de salir de Cuba.

El vuelo era ahora tan suave como el de una alfombra mágica y Bárbaro fue consciente de que el sudor que le empapaba las manos emanaba directamente del hueco más profundo de su existencia. Tenía veinticinco años, no había conocido mujer, y como cada vez que lo asaltaba la certeza de no ser un hombre completo se refugió en el recuerdo de su tía Lucinda. ¡Ah, si ella hubiese querido hacerlo siquiera una vez! Se secó las manos en el pantalón, encendió un cigarrito, miró las nubes blancas que rodeaban a la Bestia como un mar de algodón extrañamente estático y evocó una de sus fantasías preferidas. Lucinda saliendo desnuda de la piscina de un chalé en cuyo jardín la esperaba él, también desnudo. Recorrió a su tía con la vista, palmo a palmo, orgulloso de aquella negra tan bella como la reina de Saba, que tenía a los blancos babeando a sus pies. Sí,

Lucinda era una reina, muy alta, de tetas pequeñas y paradas, labios gruesos, ojos grandes y nobles, de cordera, pelo revuelto, sin desrizar, de negra orgullosa, espalda recta, caderas anchas, culo redondo y respingado y piernas larguísimas que él ahora soñó abiertas, escarranchadas sobre su verga enhiesta en la cama de la habitación matrimonial de aquel chalé que imaginaba a imagen y semejanza de la Casa de Muñecas de su infancia. Después de soñar que llevaba a Lucinda hasta el delirio no pudo ni quiso evitar entregarse a la evocación del momento en que vio la Casa de Muñecas por primera vez, brillando bajo el canal de los pechos entonces adolescentes de su tía, e iluminando la oscura covacha de la calle Maloja donde había pasado la infancia con sus padres Remberto y Domitila, y con Lucinda, la hermana menor de su madre.

La covacha era una carbonería en desuso; tenía una sola estancia de puntal altísimo que hacía las veces de sala, comedor y dormitorio, en la que Remberto había construido además un mezanine, palomar o barbacoa al que se accedía a través de una escalerita interior de hierro. En aquella especie de palco abalconado sobre el salón dormían él y Lucinda. La covacha contaba también con un patiecito en el que se apiñaban dos tabernáculos; en el primero había una cocinita con una hornilla de carbón; en el segundo, un inodoro tan pequeño como el bañito de la Bestia, al que la familia llamaba excusado. Bárbaro volvió a fumar disfrutando de la delicadeza del humo y de aquella palabra, excusado. Pero en su memoria aquel inodoro sin agua corriente era un horror y las paredes de la covacha rezumaban hollín pese a que Remberto, un albañil tan alto y musculoso que a Bárbaro le parecía tallado en piedra, les daba religiosamente una mano de lechada en Navidad. El blanco mate de las nubes que rodeaban a la Bestia había cobrado un cierto brillo, como si el avión estuviese ahora más cerca del sol, y Bárbaro pensó que las paredes de la covacha de su infancia brillaban de modo semejante cuando su padre terminaba de pintarlas. Sin embargo, aquel lejano fulgor no era más que una ilusión, las paredes de la antigua carbonería rezumaban humedad, y apenas unos días después del esfuerzo de Remberto las gotas de agua empezaban a sacar a flote el hollín acumulado durante años en las grietas que cuarteaban aquellos muros y la casa de su infancia volvía a ser lo que era, una covacha oscura y maloliente, una ruina que se mantenía en pie desafiando la ley de la gravedad de puro milagro, al igual que la Bestia lo hacía ahora al mantenerse en el aire. Era cierto que la covacha estaba apuntalada, que tres horcones apoyados en el asfalto de la calle y unidos en el tope por un contrafuerte sostenían la fachada, escorada hacia delante como una anciana sostenida en tres bastones, pero no lo era menos que tanto los horcones como el contrafuerte habían sido atacados furiosamente por el comején y que también se mantenían en pie por arte de magia. Bárbaro miró hacia arriba, como solía hacerlo de niño, cuando su madre se postraba ante el altar de Santa Bárbara, que para ella era también Changó, a rogarle que por nada de este mundo permitiera que el techo de la covacha se desplomara sobre su hijo. El hijo de Changó era Bárbaro, que había sido nombrado así en honor a la Santa, y que no lograba entender cómo era posible que su santo patrón fuese a la vez hembra y macho.

Tampoco lo entendía ahora, mientras apagaba el cigarrillo en el cenicerito del brazo del asiento, volvía a mirar el techo cóncavo y gris de la Bestia y evocaba las grietas del de la covacha, junto a las que había dormido durante años, al lado de Lucinda, en el palomar improvisado por Remberto. Su tía era sólo seis años mayor que él, y ese simple dato le había permitido a Bárbaro entender que el tiempo era algo tan elástico como la verdad. En sus primeros recuerdos tendría cinco años y se meaba en la cama aterrado por el chillido de las ratas que solían descolgarse por las grietas del techo y caer en el camastro, desde donde lo miraban con sus atroces ojillos rojos, y Lucinda tendría once y era como una madre que lo defendía de los roedores, lo acunaba protegiéndolo del miedo, y le lavaba las sábanas meadas para que Remberto no le pegara con la hebilla del cinturón acusándolo de mariquita, como lo había hecho la primera vez que Bárbaro se meó ante la presencia de una rata. Sí, el tiempo era algo más raro que el carajo; la hora que marcaba su Poljot, por ejemplo, no coincidía en absoluto con la de la Bestia, pese a que en La Habana sí lo había hecho. Era como si volasen comiendo tiempo en la misma medida en que avanzaban en el espacio, de modo que cuando llegaran a Siberia él sería muchas horas más viejo que si no hubiese salido nunca de Cuba. En el fondo, aquello era tan radicalmente incomprensible como el hecho de que su tía Lucinda fuese ahora una real hembra de treinta y un años, la única con la que se sentiría lo suficientemente confiado para no fallar en la cama, y él mismo un hombre de veinticinco que no estaba autorizado a verla desnuda pese a que la diferencia de edad entre ellos seguía siendo exactamente la misma que cuando eran niños.

Decidió incluir aquella idea acerca de la elasticidad del tiempo en el reportaje sobre la construcción del ferrocarril siberiano Baikal-Amur que debía escribir para *Bohemia*, la revista donde trabajaba. Ahora que la Bestia parecía haber acompasado definitivamente su vuelo se sintió satisfecho de haber aceptado aquel encargo que significaba un salto en su carrera. No podía quejarse. Había estudiado y trabajado más que todos los blancos de su promoción, había conseguido más que ellos y aspiraba en secreto a llegar todavía más lejos, a publicar un libro. También había plantado un montón de árboles en los trabajos voluntarios, de modo que para llegar a ser un hombre completo sólo le faltaría tener un hijo. Se estremeció, consciente de que su impotencia lo hacía radicalmente infeliz. Necesitaba paz para superarla, y en Cuba se sentía presionado por la memoria de sus fracasos con las mujeres y también y sobre todo por el terror a que una de ellas contara su tragedia, como le había ocurrido luego de la última vez que se metió en la cama con una hija de puta cuyo nombre prefería no recordar ahora. No había vuelto a intentarlo. Aquella humillación quebró su autoestima hasta el extremo de hacerlo suponer que quizá era orgánicamente incapaz de penetrarlas y de conocer así el misterio que ellas tenían entre las piernas, lo que en rigor equivalía a no haber vivido. Estaba decidido a conseguirlo en este viaje, y para comprometerse había convertido su decisión en una promesa a sus dioses tutelares, Changó y Santa Bárbara, que eran incomprensiblemente el mismo; un dios con dos nombres, dos caras y dos sexos, un dios macho y hembra. Pensar en aquella paradoja terminó de agotarlo; deseaba desentenderse de todo y dormir, pero no era capaz de conciliar el sueño. La idea de que estaba moralmente obligado por su propia promesa a ligar una siberiana, llevarla a la cama y satisfacerla había vuelto

a provocarle aquel insomnio que tanto lo agobiaba última-
mente. Lo pensó mejor y concluyó que en lugar de
siberiana podría decir simplemente mujer; en el fondo
su compromiso con los dioses consistía en eso, en hacer
el amor con una mujer y quedar como un hombre. ¿Por
qué no intentarlo con la rusa aficionada al ajedrez que
estaba sentada detrás, ensayando la defensa Caro
Khan? Él era todo un Maestro Nacional y eso debería
darle la suficiente confianza en sí mismo como para
permitirle vencer su inveterada timidez, acercarse a la rubia e invitarla a una partida. Le ofrecería las blancas,
por cortesía, y después la vencería con autoridad y ele-
gancia y la dejaría admirada, lista para permitirle jugar
allí mismo, sobre los mullidos asientos de la Bestia, la
partida definitiva de su vida. Aunque quizá no fuera
tan fácil. La rubia era rusa, evidentemente; lo más pro-
bable sería que no hablara español. ¿Y qué importaba
eso, después de todo? El ajedrez funcionaría como una
lengua franca para la primera partida y la segunda se
jugaría en el más universal de los idiomas. El problema
consistía en que nunca había podido hablarlo con las
mujeres; aunque tal vez con aquella rusa fuera distinto;
era rubia, conseguir hacerlo con una blanca de pelo
claro formaba parte principal de sus fantasías sexuales
y este elemento añadiría excitación a la aventura. Y en
caso de que pudiera ligarla, ¿qué hacer si la Bestia entraba de improviso en una nueva turbulencia y el terror
lo paralizaba justo en el momento cumbre?

Poco después un carrito bloqueó el pasillo y una
azafata le sirvió una comida escasa y reseca que devoró
sin saber si se trataba del almuerzo, de la merienda o de
la cena. Encendió otro cigarrillo para engañar el estómago y se dijo que en cuanto retiraran la bandeja pro-

baría suerte con la rusa. Un intensísimo fulgor empezó a rebrillar a su izquierda; la Bestia había empezado a desplazarse por un cielo rojo sangre, el color de Santa Bárbara y Changó, sus santos tutelares. ¿O se trataba en realidad de un solo dios con dos caras? Nunca lo había inquietado mayormente el misterio de la Santísima Trinidad, quizá porque en un final el Padre, el Hijo y el Espíritu Santo eran machos y podían ser uno y trino sin grandes problemas. Pero, ¿cómo podían una hembra y un macho convivir en un único cuerpo? Alguna vez Lucinda le había dicho que él era un negro nalguirrico y aquella revelación no había dejado de inquietarlo nunca, pese a que la propia Lucinda se encargó de explicarle que a las mujeres les encantaban los machos con buen culo. Sin embargo, a él lo avergonzaban sus nalgas pintiparadas, en forma de pera, pues para su padre aquella era una característica estrictamente femenina. ¿Cómo serían las de la rusa ajedrecista? Minutos después la azafata retiró la bandeja y él apagó el cigarrillo, se puso de pie y se dijo que ya era hora de probar suerte. De pronto pensó que las hembras siempre jugaban con ventaja porque disponían de la apertura, como las blancas en el ajedrez, y se detuvo en seco, a punto de volver sobre sus pasos.

Pero el rojo sangre del cielo de la tarde le recordó la promesa y siguió su camino. Tenía que entrar a la cueva sagrada al menos una vez. No debería ceder al terror que lo había bloqueado en sus escasísimos intentos anteriores dejándole al rey fláccido, incapaz de irrumpir en la gruta. En esta oportunidad contaba con un triunfo, con una muesca indeleble en la culata del fusil: se había atrevido a subir a la Bestia y a volar en ella sin tomar pastillas, les había pagado a sus dioses en contantes y sonantes monedas de miedo. Y aunque pensaba que ni Jesucristo ni Santa Bárbara se meterían en los oscuros asuntos de la carne, abrigaba la certeza de que Changó lo ayudaría. Era lo suyo. Para eso era bello como el fuego y tenía el hacha de la guerra siempre en ristre. Ninguna hembra podía resistírsele, y aunque muchas lo habían intentado el Artillero del Cielo siempre se las ingeniaba para conseguirlas. Sabía enamorarlas como ninguno, mentir para convencerlas como lo haría un blanco, pero también violarlas si hacía falta. Cuando llegó frente al asiento de la rusa quedó boquiabierto. La muy viva había armado una suerte de cama mediante el simple procedimiento de levantar los brazos de los asientos de su fila. Dormía bocarriba, con las piernas semiabiertas y el vestido a medio muslo. Como para comérsela. Tenía las uñas de los pies pintadas de un rojo furioso, una cadenita de oro en el tobillo izquierdo, las piernas sólidas, sin afeitar, los muslos gruesos, cubiertos por un fuerte vello dorado que desaparecía de pronto bajo el vestido azul, abotonado hasta el nacimiento de los senos, donde se abría dejando entrever el canal de unas ubres generosas. Tuvo una erección inmediata e identificó confusamente las fuentes de su deseo. Aquella mujer era rubia, tenía las piernas peludas como las de un hombre y grandes tetas de vaca. Y además estaba dormida, de modo que podría asestarle un golpe en la cabeza sin encontrar resistencia. Eso era justamente lo que necesitaba, una mujer inerme, con piernas que recordaran a las de un macho, que lo dejara hacer, que no lo juzgara, que no le chismeara después a las putas de sus amigas si él era bueno o malo en la cama. Miró a su alrededor buscando un palo o un hierro con qué pegarle a aquella tipa, redescubrió aluci-

nado la cabina de la Bestia, regresó a su asiento a grandes
trancos y se ajustó el cinturón de seguridad con tanta
violencia como si fuese el guardián de sí mismo.

¡Dios, había estado a punto de golpear a la rusa,
quizá de matarla! Nunca le había pegado a una mujer,
pero esta vez, de haber tenido algo duro en las manos,
le hubiese roto la crisma a aquella desconocida. Elevó
los brazos al cielo e intentó exculparse pensando que
Changó también lo habría hecho. Oh, sí, el Rey de las
Hembras habría golpeado a la maldita, se habría desfo-
gado con ella y adelante con los tambores. Pero Changó
era un hijo de puta, se dijo, y quedó sobrecogido por su
propia herejía. Entonces se refugió en el recuerdo de
Lucinda, para quien Changó era en realidad el Diablo.
Abusador, alardoso, cobarde, hipócrita, mentiroso e in-
cestuoso, Changó simbolizaba para su tía los defectos
del carácter de los negros y por extensión de todos los
cubanos. «Este paisito —solía decir Lucinda— no tendrá arreglo mientras no bajemos a ese canalla del altar.»
Pero Changó seguía allá arriba, pensó él evocando la
covacha de sus padres, presidida por la imagen de
Santa Bárbara que a la vez era la de Changó, el Ma-
ligno. Mientras vivió allí, el titular de las velitas que su
madre prendía noche a . noche en el altar de la
santa / santo que presidía el salón, y que él miraba
desde el palomar donde dormía abrazado a Lucinda, lo
había protegido casi tanto como los cálidos abrazos de
su tía del horror a los ojillos de las ratas que se descol-
gaban desde el techo de la covacha. De hecho, aquellas
tres sensaciones —el miedo a las ratas, el rojo sangre del
titular de las velitas sobre los poderosos atributos de
Santa Bárbara, y el calor de los senos y muslos de Lucinda— estaban asociadas en su memoria afectiva de

modo inextricable. Y ahora, mientras miraba el rojo atardecer a través de las ventanillas de la Bestia, recuperó la sensación inefable de un dulce miedo que entonces conseguía neutralizar metiendo su pierna derecha entre las de su tía, pegándose a sus pechos como un macaco, y atisbando a lo lejos, en el altar que estaba en la pared, sobre el camastro donde Remberto y Domitila lo habían engendrado, la enhiesta espada de Changó. ¿Cuántos años tendría la primera vez que vio a sus padres hacer el amor bajo el altar desde aquella especie de palco que compartía con Lucinda? Quizá seis u ocho y su tía doce o catorce, no podría decirlo con precisión; pero sí recordaba perfectamente que fue Lucinda quien lo despertó aquella madrugada para decirle: «Mira.» Abajo, en el salón, iluminados al sesgo por el rojo titilar de las velitas, bajo la espada y el trueno de Changó y Santa Bárbara, Remberto y Domitila estaban formando un cuerpo único, extraño, acezante, sudoroso y terrible, un ser con dos cabezas, cuatro patas y dos espaldas, que emitía sordos sonidos guturales en medio de una horrible danza y que dejó a Bárbaro sin habla, como si la incomprensible unicidad de la santa y el santo se hubiese concretado de pronto en la insoportable visión de aquel monstruo formado por sus padres, el mismo que durante años pobló sus pesadillas junto a los ojillos y los chillidos de las ratas.

Las luces interiores de la Bestia se apagaron y la atmósfera interior de la cabina cobró un tono rosado, muy semejante al de las palmas de las manos de Bárbaro. Debía dormir para no llegar hecho polvo a Irkust, se dijo, pero tampoco esta vez consiguió burlar las obsesiones que seguían acechándolo. Encendió otro cigarrito con la esperanza de que el humo lo ayudara a olvidar tanto el monstruo de las dos espaldas como el abismo al que se había asomado frente al asiento de la rusa. ¿Dónde viviría una vez que estuviera en Siberia? Desde niño había albergado la ilusión de instalarse en un chalé igual a la Casa de Muñecas de Lucinda, con garaje, piscina y jardín, aun cuando daba por hecho que casas como aquélla sólo existían en forma de juguetes o de sueños. En ciertas ocasiones, sin embargo, no atinaba a distinguir muy bien los sueños de la realidad; ahora mismo, por ejemplo, que volaba rodeado de nubes rojas y grises como el trenzado de una alfombra mágica, ¿quién podría asegurarle que no estaba soñando? Echó hacia atrás el asiento e intentó acomodarse, aunque sin conseguirlo; era un poco cargado de espaldas y eso le dificultaba el reposar la cabeza con naturalidad si estaba bocarriba. Hacía años que no jugaba con Lucinda, y ahora volvió a asociarla a la Casa de Muñecas que le había regalado en su decimotercer cumpleaños una persona que en aquel entonces Bárbaro no conocía, cuyo nombre no se pronunciaba jamás y que en la covacha era llamado simple, escueta y misteriosamente Alguien. Durante mucho tiempo el enigma de la identidad de Alguien no le llamó la atención a un Bárbaro fascinado por la magia de la Casa de Muñecas que Lucinda instaló en el palomar, al pie de los camastros. Aquel juguete, habitado por una familia de muñequitos blancos, norteamericanos y por lo tanto perfectos, formada por el matrimonio de *John and Jane* y por sus hijos *Tom and Mary*, era como un palacio encantado al que Bárbaro se entregó desde el primer instante. Pero cuando Remberto regresó del trabajo y lo vio sacándole brillo a los peroles de la cocinita de la Casa de Muñecas, armó un escándalo de padre y muy señor mío y le gritó a su hijo que jamás y nunca volviera a atreverse con aquel jueguito de maricones si no quería que lo desollara vivo a cintarazo limpio. Bárbaro conocía bien el poder del cinturón de cuero de su padre, que más de una vez le había puesto las nalgas en candela como castigo porque él se había meado de miedo ante las ratas, y abandonó la Casa de Muñecas con el dolor y el resentimiento de un hijo a quien su propio padre ha expulsado del paraíso.

Quizá por eso nunca dejó de pensar en aquel juguete ni de compararlo con la realidad de la covacha en que vivía. Sí, se dijo removiéndose incómodo en el asiento, aquella casa era la antítesis del antro en el que había pasado la infancia. Y no sólo porque tuviera jardín, piscina y un cadillac, sino también y sobre todo porque John, Jane, Tom y Mary estaban siempre sonriendo. Nadie jamás los oyó maldecir ni decirse oprobios, como tan a menudo lo hacían Remberto y Domitila; nunca John le sacó candela del culo a Tom a cintarazo limpio por mearse ante las ratas ni lo acusó de maricón por vivir y jugar en la Casa de Muñecas. No había ratas en aquel Palacio de sus sueños, ni tampoco un lugar apestoso como el excusado de la covacha. ¿Para qué, si ni John ni Jane ni Tom ni Mary cagaban ni meaban? Nunca sufrían diarreas, ni granos, ni ñañaras, ni mucho menos aquellas fiebres y catarros que con tanta frecuencia atacaban a Bárbaro en la humedad de la covacha. Jamás lloraban. Para él, esa perfección se debía a que los habitantes de la Casa de Muñecas eran absolutamente decentes. John y Jane jamás se atreverían a despertar a sus hijos en medio de la noche con quejidos y jadeos, como con tanta frecuencia lo hacían Remberto y Domitila. Abrió los ojos para defenderse de la desazón que le provocaban aquellos recuerdos y casi de inmediato se sintió sumido en la oscuridad. Las nubes habían cobrado de pronto un color negro profundo, de consistencia algodonosa, que le recordó su propio pelo. Aquél hubiese sido un viaje perfecto al centro de la noche de no ser por el intensísimo latigazo de luz roja que brillaba cada quince segundos sobre los motores, con la regularidad de un cronómetro, recordándole que estaba en el aire. Suspiró, consciente de que los recuerdos acudirían de inmediato para seguirlo castigando. Era inevitable y además necesitaba purgar e intentar entender su pasado antes de medirse al reto que lo esperaba en Siberia; así estaría limpio cuando se enfrentara a su destino con forma de hembra. ¡Cuánto le gustaría encontrarse a Jane o a Mary! Aquella mujer, aquella niña que ya habría crecido, le provocaban una profunda sensación de calma, de cosa conocida. Sólo que ninguna de las dos podría ayudarlo a resolver su problema; jamás se irían a la cama con un hombre, muchísimo menos con un negro de pulmones debilitados por la humedad. Sintió un fogaje en el rostro ante aquella espontánea explosión de autodesprecio, como si la mismísima Mary lo hubiese abofeteado. No, los queridos muñequitos de sus recuerdos no eran racistas, no podían serlo. Aunque eran blancos, ¿y acaso había algún blanco en este mundo que en el fondo de su corazón no fuera racista?

Pese a todo John, Jane, Tom y Mary fueron sus amigos, nunca lo molestaron. Además eran absolutamente puros. No se les alteraba el semblante ni siquiera cuando Lucinda, aprovechando alguna ausencia de Remberto y Domitila, despojaba a John y a Jane de sus ropitas, le abría las piernas a ella y lo ponía a él encima para que formaran el monstruo de las cuatro patas. Aquel juego no tenía gracia porque Jane y John seguían sonriendo educadamente aun cuando Lucinda los restregaba uno contra otro. Quien sí se transformaba entonces era ella, Lucinda; sus ojos se dilataban cobrando un brillo tan intenso que aún ahora, años y años después, seguían teniendo el poder de trastornar a Bárbaro, que suspiró al pasarse la mano por la entrepierna y comprobar que tenía el sexo enhiesto como una lanza hambrienta. De pronto, tuvo la convicción de que si se atreviera a caminar con los ojos cerrados hasta el asiento de la rusa que dormía semidespatarrada podría clavarla hasta el alma. Ella no protestaría, qué va, más bien se movería creyendo que soñaba su disfrute. Y si se despertaba e intentaba gritar, peor para ella, le taparía la boca y la ahogaría con la almohadilla que reposaba en el asiento de al lado, la misma que agarró antes de intentar incorporarse. No pudo hacerlo; el cinturón de seguridad lo mantuvo unido al asiento. El flechazo de las luces de posición de la Bestia brilló de nuevo y él interpretó aquella puñalada incandescente como un mensaje de su patrón. Changó lo estaba volviendo definitivamente loco. Había pensado por segunda vez en violar a la rusa, quizá en matarla. Pero él no era un dios, después del estropicio no tendría manera de huir de la Bestia transformado en pájaro. Se puso la almohadilla tras la cabeza y se dijo que quizá quienes se llamaban Bárbaro habían nacido para hacer barbaridades, sólo que él no tenía coraje o locura suficientes como para ello, salvo en las raras oportunidades en que se quedaba solo en la covacha con John, Jane, Tom y Mary. Era sobre todo entonces cuando la Casa de Muñecas se convertía verdaderamente en el paraíso y él podía refocilarse jugando a ser Dios y castigando a los malditos muñequitos por ser felices. Estaba tan ensimismado en sus recuerdos que durante un segundo no supo identificar qué pasaba cuando la Bestia dio un súbito bajonazo, sonó un nuevo «¡Pinnng!», y la advertencia de *No smoking! Fasten seat belts!* brilló en las pantallitas como un mal augurio en medio de la noche. Afuera caían rayos y centellas, la Bestia volvió a bajar como si la poderosa mano de Changó la estuviese hundiendo en un abismo y él decidió evocar como un acto de contrición uno de los momentos más dolorosos de su vida: el día en que había destrozado la Casa de Muñecas ante la mirada satisfecha de Remberto. No pudo concentrarse en ello porque la Bestia seguía estremeciéndose; no podía escuchar el retumbar de los truenos pero estaba aterrado por la furia extraordinaria de los rayos, abiertos como ceibas color naranja en medio de la negrura del cielo, y se dijo que quizá, si se atreviera a evocar la destrucción de la Casa de Muñecas como un acto de fe y un exorcismo, conseguiría alejar la posibilidad de otras destrucciones. Se miró las manos, aferradas como ventosas a los brazos del asiento; con ellas había destrozado su juguete más querido en una ordalía de furia y celos con la que también, concluyó ahora sintiendo que una llamarada de rencor se sumaba al miedo que lo carcomía, había terminado de decirle adiós a su infancia.

Los meses que precedieron a aquella despedida brutal fueron los más felices de su vida. Estaba a punto de cumplir catorce años, Remberto se había ido a la remotísima provincia de Camagüey como cortador de caña en la zafra azucarera, Domitila trabajaba como asistenta en la cocina de un hospital de donde robaba comida en abundancia para traerla a la covacha, y Lucinda y él podían soñar a sus anchas con la ilusión de habitar juntos la Casa de Muñecas. Estaba a punto de esbozar una sonrisa cuando la Bestia volvió a estremecerse, recordándole que debía cumplir la evocación no como placer sino como exorcismo. No le fue difícil, la ansiedad, el miedo e incluso el rencor que sufría ahora conectaron de pronto con los que había empezado a padecer meses después de haber alcanzado la cresta de la felicidad, cuando Lucinda perdió todo interés en la Casa de Muñecas y empezó a escaparse de la covacha con una regularidad semejante a la cumplida ahora por las luces de posición de la Bestia. Él sabía que ella se le iba con Alguien, un ser a quien aún no conocía personalmente, pero que su imaginación había convertido en un monstruo. Al regresar del instituto preuniversitario, Bárbaro solía encontrarse solo en la covacha, comía algo con desgana y se dedicaba a jugar con la Casa de Muñecas. Pero ya no repetía la ilusión de ser blanco ni de vivir allí con Lucinda, sino que se entregaba al juego de imitar las voces y las broncas de sus mayores con tanta fiereza como la que ahora demostraba la tormenta al batir a la Bestia. Fue entonces cuando desestimó los nombres de John, Jane, Tom y Mary; los muñecos pasaron a llamarse directamente Remberto, Domitila, Lucinda y Alguien, y muy poco después Borracho, Ladrona, Puta y Monstruo.

Acababa de gritar en voz muy baja aquellos remotos nombres de su rabia cuando la Bestia recuperó la estabilidad, poco después sonó un nuevo «¡Pinnng!» y las advertencias que exigían mantener abrochados los cinturones de seguridad y prohibían fumar volvieron a apagarse. Había tenido las manos crispadas sobre los brazos del asiento durante tanto rato que le costó abrirlas y al conseguirlo notó que le dolían; encendió la breve luz del techo y las miró con cierta extrañeza, casi como si no fueran suyas. Eran verdaderamente un buen par de manazas. Remberto y sus amigos solían decirle que resultarían perfectas para el boxeo, el béisbol o el baloncesto, según ellos las únicas maneras en las que un negro podía meter cabeza e incluso hacerse famoso, además de la música. Pero a Bárbaro le daban pavor las narices rotas y las orejas de coliflor de los boxeadores, y la primera y única vez que acudió a una prueba en un gimnasio, llevado por su padre, no tuvo coraje para enfrentarse a su contrincante y se refugió en una esquina donde lo machucaron de mala manera y además le endilgaron el apodo de Kid Flojito que lo persiguió durante años. Y aunque era razonablemente bueno jugando béisbol y baloncesto, se dijo ahora, al secarse el sudor de las manazas en el pantalón, no entendía por qué los negros estaban condenados a pegarse, correr, cantar, tocar o bailar como monos de feria. Siempre estuvo seguro de que él no lo haría, y se reafirmó en esa convicción después de asomarse a los poemarios de amor que Lucinda había empezado a llevar a la covacha meses antes del desastre.

Pero él mismo había destruido aquellos libros, junto a la Casa de Muñecas, con las manos que ahora volvía a mirar estupefacto. «Borracho, Ladrona, Puta, Monstruo, Poco Hombre», enumeró mientras se iba traqueando uno a uno los dedos con una mezcla de ansiedad y desesperanza. Remberto, el Borracho, había muerto hacía poco con el hígado reventado; Domitila, la Ladrona, estaba hecha una anciana pero seguía robando comida para él; Lucinda, la Puta, era maestra de primaria y apenas se dejaba ver; Alguien, el Monstruo, se había suicidado de un tiro en la cabeza; y él, el Poco Hombre, había conseguido hacerse periodista pero no acostarse con una mujer. Se dijo que aún era virgen y se estremeció como si aquella palabra fuese una bofetada. Vírgenes, las mujeres. Los hombres podían ser santos o diablos; jamás vírgenes como María, la de Regla o la Caridad del Cobre. Y él era un hombre, aunque incompleto. Si hubiera tenido al menos un amigo con quien hablar del tema quizá las cosas habrían sido distintas, pero jamás pudo confiarse a su padre, que lo despreció siempre, salvo la vez que Bárbaro destrozó los poemarios de amor y reventó la Casa de Muñecas en su presencia. Aquella noche Remberto estuvo orgulloso de su hijo, le propinó un abrazo y le dijo que por fin había empezado a hacerse hombre. Bárbaro sabía que eso no era verdad; entonces tenía catorce años, no quería dejar de ser niño, y estaba desesperado porque Domitila le había dicho que Lucinda no volvería a vivir con ellos, que se había mudado con Alguien a un apartamento de blancos en el Vedado. ¿Cómo dormir en el palomar de la covacha sin su tía? ¿Quién lo protegería de los ojillos de las ratas? ¿Quién encendería su imaginación leyéndole el «Romance sonámbulo»? Y sobre todo, ¿entre qué piernas metería las suyas cuando Remberto y Domitila construyeran el monstruo de las dos espaldas?

Se removió en el asiento, estaba molido y sin embargo no podía dormir; sentía el culo sucio, el cuerpo sudado, la cara grasienta y la boca pastosa, pero pese a su obsesión por la higiene no tenía fuerzas para levantarse y volver al bañito de la Bestia, que inevitablemente le haría recordar la Casa de Muñecas. Sí, él mismo la había desbaratado y había roto los libros de

Guillén y de García Lorca ante la alegría de Remberto y el estupor de Domitila, con las mismas manos que ahora retiró húmedas de su rostro. Nunca se había respetado mucho porque se creía cobarde, y precisamente por ello le agradeció a los santos que confundieran a su padre, haciéndolo interpretar la destrucción de los libros y de la Casa de Muñecas como un acto de hombría. Su madre supo desde el principio que no lo era, y se las ingenió para que Lucinda convenciera a Alguien de que se llevara a Bárbaro a vivir con ellos al apartamento del Vedado, dándole así a su hijo la mayor alegría de su vida y liberándolo además del riesgo de volver a sufrir las iras de Remberto. Bárbaro sonrió levemente ahora, cuando consiguió evocar en medio de la duermevela un pedazo de mar semejante al que se veía desde la ventana de su habitación en el apartamento de Alguien. A partir de aquel cuadrado azul le fue fácil rememorar todo el apartamento, que comparado con la asquerosa covacha de donde provenía era algo así como la encarnación de la Casa de Muñecas. Era cierto que en el apartamento de Alguien no había jardín ni piscina, pero tampoco ratas ni excusado; en cambio había un salón enorme, dos habitaciones grandísimas y dos baños alegres, luminosos, azulejeados en amarillo y blanco, uno de los cuales estaba destinado por entero al uso y disfrute de Bárbaro, que evocó las duchas faraónicas que había tomado en él, desde cuya ventana se veía también aquel mar fascinante, tan voluble como resultó ser el carácter de Alguien; un mar que cambiaba de tonalidad según variaran los vientos, las luces del día o las épocas del año, en un registro que iba desde la levedad cristalina hasta el negro profundo. Alguien tenía un carácter tornadizo como el mar, pero al menos no era racista, pensó al evocar el día en que al fin conoció a aquel hombre destinado a cambiar para siempre su vida y a quien según Lucinda había que dirigirse llamándolo General. Bárbaro, que entonces contaba catorce años, había llegado con su tía a la casa del General y estaba bajo el impacto de haber pasado en un santiamén de la oscuridad de la covacha a la luz de aquel lugar extraordinario. El apartamento quedaba en la calle L, en el penúltimo piso del López Serrano, un edificio alto y noble, con ascensor, que se elevaba desde una base anchísima y se iba afinando por tramos hasta terminar en punta como los rascacielos de las fotos de Nueva York. Y mientras su imaginación debía agigantar las dimensiones de la Casa de Muñecas e inventarse que vivía en ella con Lucinda, el López Serrano le resultó realmente gigantesco y además era cierto que él iba a vivir allí con su tía.

Quedó alelado cuando al fin entró al apartamento; la visión del mar, entregada a través de los ventanales del salón desde la descomunal altura del edificio, lo impactó tanto como si hubiese llegado al cielo. Erizado por haber sido capaz de recuperar tan nítidamente aquella memoria, miró hacia la izquierda y alcanzó a entrever un levísimo fondo rosado tras las nubes negras que rodeaban el vuelo de la Bestia. Tenía hambre, pero era incapaz de saber si tocaba desayuno, almuerzo o comida, y también si alguna vez le servirían, de modo que prefirió refugiarse de nuevo en el recuerdo, evocando la habitación que le correspondió en el apartamento del López Serrano. Ésta era al menos cinco veces más grande que el palomar de la covacha y la luz entraba a chorros por sus dos ventanales, uno de los cuales daba también al mar y el otro a los techos de los edificios de

La Habana, que después de la primera noche le parecieron tan tristes como el amanecer. Aunque en realidad quien estaba triste no eran los techos ni la mañana, sino él mismo, consciente de que ya no dormiría con Lucinda como lo había hecho siempre en el palomar de la covacha. Ella lo hacía en la gran cama matrimonial de la habitación contigua, junto a Alguien, ya rebautizado como el General, con el que sin duda se dedicaría también a construir el monstruo de las dos espaldas, sin que él, Bárbaro, pudiera refugiarse siquiera entre las piernas de su tía y aferrársele a las tetas como cuando era niño. Ya no lo era, comprendió de pronto, cuando ella procedió a explicarle las cuatro reglas que normaban la vida en aquel apartamento.

El General, le había dicho Lucinda, dormiría pocas veces allí, pues casi siempre lo hacía donde lo cogiera la noche, y alguna que otra vez con su esposa y sus hijos en una casona en Miramar, pero era el jefe y por tanto tenía derecho a entrar al apartamento cuando le diera la realísima gana y a disponer a su antojo de todo lo que hubiera entre aquellas cuatro paredes. Cuando el General estuviera presente, Bárbaro debía mantenerse en absoluto silencio y no salir de su habitación, porque el General estaba la mar de ocupado, tenía el sueño ligerísimo e iría a refugiarse allí para que no lo molestaran. Tampoco se le podía contradecir jamás, sabía un montón sobre muchísimas cosas y gastaba pésimas pulgas, de modo que si alguna vez le ordenaba algo, Bárbaro debía responderle simplemente «Sí, General» y cumplir lo que fuera de inmediato. Pero no debía poner esa cara, había seguido diciéndole Lucinda mientras le acariciaba las mejillas, en el fondo el General era un pedazo de pan, había aceptado de buena gana la presencia de Bárbaro en el apartamento y estaba dispuesto a protegerlo como a un hijo. Después de darle aquellas instrucciones, Lucinda besó a Bárbaro en la frente, se fue a duchar y él se quedó solo en la habitación sintiéndose abandonado y traicionado. No quería permanecer en aquel sitio que de pronto le pareció una cárcel donde además el General le había robado a Lucinda, pero tampoco volver a vivir en la covacha en la que lo esperaban los ojillos de las ratas y las palizas de su padre. No quería vivir, simplemente. La ciudad, el cielo y el mar le parecieron tan tristes que de pronto decidió saltar por la ventana y reventarse en el asfalto en el que gentes y carros se veían tan pequeños como los de la Casa de Muñecas que él mismo había destrozado días antes. Alcanzó a pasar una pierna sobre el alféizar; estaba acumulando fuerzas para vencer el vértigo y saltar al vacío cuando el sonido de una bronca voz de bajo que llamaba a Lucinda lo paralizó. La voz se iba adentrando en el apartamento acompañada del ruido de unos pasos rápidos, decididos y seguros como los de un animal, y Bárbaro se separó de la ventana, se secó el llanto con el faldón de la camisa y se sentó en la cama. Entonces lo vio.

El General se detuvo un instante en la puerta antes de entrar a la habitación como una tromba. Era de mediana estatura y muy ancho de hombros, tenía brazos cortos, manos grandes y rudas, de campesino, cuello de toro, cutis torturado por huellas de antiguos granos, frente estrecha y pelo canoso, lacio y brillante; llevaba uniforme de camuflaje, pistola al cinto y botas relucientes, de piel suavísima y cierre de cremallera, hacia las que Bárbaro se quedó mirando cuando bajó la cabeza ante aquel hombre como si estuviera en presencia de un dios. Ahora, sobrecogido por el recuerdo del ser que le había inspirado tanto odio y a quien tanto había llegado a amar, comprobó que había amanecido y se dijo que quizá aquel súbito cambio de colores en el cielo escondería algún mensaje secreto del General. El amanecer era de un anaranjado brillante como el filo de un cuchillo. Bárbaro entrecerró los ojos y levantó la cabeza como lo había hecho entonces, en cuanto el General se lo ordenó con aquel vozarrón capaz de poner firme a un ejército. Ahora miró hacia el techo gris de la cabina de la Bestia evocando los ojos del General, unos ojos tan intensamente verdes como el mar que tanto había atraído a Bárbaro al llegar al apartamento, tan profundos que lo desnudaron de inmediato, tan atormentados que lo hicieron sufrir como si hubiese descubierto que alguna culpa inmisericorde no dejaba jamás tranquilo a su dueño. Aquel encuentro selló algo entre ellos, pero Bárbaro no fue capaz de descifrar en qué consistía ese algo hasta muchos meses más tarde, durante el transcurso de los cuales alcanzó a odiar al General tan intensamente como antes había odiado a su propio padre.

Un inesperado «¡Pinggg!» lo devolvió a la realidad de la Bestia, cuya cabina se iluminó enseguida con una luz fría y desagradable como la de un hospital. Alcanzó a pensar que aquella asociación se debió a que el recuerdo del General lo había enfermado; le dolía la cabeza, tenía hambre y sueño y estaba sucio, exactamente como jamás, según su madre, debería estar un negro. Miró al pasillo con la intención de dirigirse al baño, y entrevió en el fondo al carrito de la comida empujado por la azafata, que poco después dejó sobre la mesilla un mísero pastelito y un tazón de café. Aquello no le alcanzaría ni para empezar, se dijo, decidido a comer después para engañar al tiempo y a su estómago. Bebió un sorbo de café que estaba amargo e hirviente y le quemó los labios y la lengua como el recuerdo de los meses en que había odiado al General, hacía ya tantos años, le quemaba todavía la memoria. Resopló diciéndose que aquél había sido un tiempo atroz, tan insoportable como sus duros años de infancia en la covacha. Era cierto que en el apartamento no había ratas y que el General no lo amenazaba con calentarle el culo a cintarazo limpio; pero justamente por ello tampoco había absolutamente nada que le permitiera reclamar el calor de Lucinda. Y cuando empezó a tener pesadillas y a llorar por su tía en las noches, ella no acudió. Ya no era un niño, le dijo Lucinda al día siguiente, y tenía que aprender a arreglárselas solo. Justamente así se sentía Bárbaro, solo y además traicionado, porque Lucinda estaba entregada al General como una esclava y no le daba ninguna vergüenza gritar obscenidades cuando jugaba a construir el monstruo de los cuatro brazos. Entonces Bárbaro se refugiaba en su habitación, pegaba la oreja a la pared que daba al cuarto de al lado, y se dejaba estremecer por las terribles palabrotas de su tía y por las cochinas órdenes del General que ella obedecía como una perra. Cuando terminaban, Bárbaro se sentía humillado y culpable, pero aun así iba a esperarlos a la sala a ver si tenía la suerte de que Lucinda le hiciera una caricia o de que el General le dirigiera una mirada.

Bebió otro sorbo de café, que ya no estaba tan caliente, y le supo a agua sucia. Encendió un cigarrillo con la ilusión de que el humo le ayudara a vencer el mal sabor de boca. No lo consiguió. Lucinda sí le hacía buen café al General, se dijo, recordando que a veces, cuando terminaban de jugar y el General no estaba de correco-

rre, la pareja se sentaba a tomarlo en la sala del apartamento donde ya él los estaba esperando, pese a que lo
humillaba particularmente la jactanciosa definición que
el General solía dar del café inmediatamente antes de
beberlo: «El néctar negro de los dioses blancos». Bárbaro jamás se atrevió a contradecirlo, aun cuando aquella frase le revolvía las tripas. A veces al General le daba
por contar los combates extraordinarios que había sostenido en las selvas y desiertos de África o en las montañas de Nicaragua, y Bárbaro, que ya había empezado
a estudiar Historia de la Literatura, disfrutaba el privilegio de estar escuchando de viva voz hazañas dignas
de un semidiós, equiparables a las de Aquiles, el de los
pies ligeros, o a las de Ulises, el astuto. El General tenía
a menudo la condescendencia de dirigirse a él y hacerle
preguntas a las que Bárbaro respondía invariablemente
«Sí, General», tal y como Lucinda se lo había ordenado,
aunque a veces eso no era suficiente para colmar la curiosidad de su interlocutor, y Bárbaro se veía en la obligación de dar explicaciones acerca de sus estudios
preuniversitarios y de sus sueños de hacerse periodista.
Solía hacerlo tartamudeando, con la cabeza baja, porque los ojos del héroe tenían la virtud de alterarlo hasta
el fondo.

Pero también lo atraían tanto que a veces cedía a su
imantación, levantaba la cabeza, y al mirar de frente al
General experimentaba una mezcla de adoración y
miedo, la misma que volvió a estremecerlo ahora,
cuando se sorprendió mirando el límpido azul del cielo
a través de la ventanilla de la Bestia y alcanzó a preguntarse si el General estaría sentado a la diestra de Dios, si
andaría quizá de nube en nube librando batallas desco-
munales como las que había ganado en las montañas de

Venezuela, en las selvas de Cabinda o en el desierto de Ogadén, o si habría sido condenado a las llamas del infierno como castigo por haberse atrevido a construir el monstruo de las dos espaldas con los mismísimos ángeles. Volvió a darse un trago de café, estuvo a punto de escupir ante el asqueroso sabor de aquel brebaje, y apagó el cigarrillo, seguro de que el humo no lo ayudaría a quitarse el mal sabor de boca. La irrupción del General en su memoria había acabado por trastornarlo de tal modo que necesitaba entregarse a él sin que nada lo perturbara. Hacía años que rehuía conscientemente evocar a aquel hombre, pues albergaba la ilusión de que si conseguía hundirlo en una especie de hueco negro podría borrar para siempre esa zona de su pasado; ahora, sin embargo, sintió en las tripas la necesidad de mirar de frente aquella memoria a ver si así conseguía llegar a Siberia limpio y preparado para cumplir su promesa. Cuando niño había atisbado desde el palomar de la covacha los oscuros forcejeos de su padre y su madre, de adolescente solía escuchar tras la pared de su habitación las obscenidades y jadeos del General y Lucinda, pero a los dieciséis años no se había acostado con ninguna mujer y desde entonces ese vacío había empezado a convertirse en una obsesión y una vergüenza que aún ahora, nueve años después, seguía torturándolo. Sin embargo, no le había sido difícil mantener aquella carencia en secreto; ni su padre ni su madre ni su tía se habían interesado jamás por ese asunto, como si confiaran en que habría de resolverse solo, por arte de magia. Se removió inquieto en el asiento, con la impresión de que la Bestia había empezado a descender. No pudo confirmarla, y se dijo que quizá era él quien había empezado a hundirse hasta recuperar la memoria de aquella tórrida tarde de septiembre en la que estaba tirado en la cama y sintió que alguien había entrado al apartamento. Ese alguien, lo supo desde el principio, no podía ser otro que el General. Lucinda estaba fuera, recibiendo clases en el Instituto Superior Pedagógico, nadie más tenía llave, y además él conocía de memoria aquellos pasos rápidos y seguros que se dirigieron a grandes trancos hacia su cuarto. Se sentó en la cama preguntándose el porqué de aquella visita; el General sabía perfectamente que Lucinda estaba ausente y nunca antes había venido si no podía encontrarla. Pero aquella tarde entró a la habitación como Pedro por su casa, y Bárbaro sintió enseguida que el General respiraba una especie de violencia contenida, una suerte de electricidad que elevó de pronto la temperatura de la estancia como si alguien hubiese encendido fuego en ella.

El General le dijo hola y se le sentó enfrente, en un sillón de caoba y pajilla que le había traído de regalo semanas atrás. Bárbaro bajó la cabeza para evitar enfrentarse a aquella mirada, y ahora volvió a sentirse estremecido por la memoria del fortísimo olor a cuero de caballo que el General exhalaba aquella tarde. Venía de domar una yegua, le dijo el General, y le preguntó como si tal cosa que si alguna vez se había tirado una yegua. Bárbaro levantó la cabeza, descolocado por aquella pregunta, y ya no pudo volver a bajarla. Sus ojos quedaron imantados por la sensualidad animal de la mirada del General, que empezó a contarle cómo, cuando tenía sólo doce años, había aprendido a gozar en el campo, primero con matas de plátano, después con gallinas y luego con yeguas. Las gallinas eran una mierda porque se morían en cuanto uno las clavaba, pero las matas de plátano eran una maravilla, afirmó el General ante el estupor y la callada incredulidad de Bárbaro, y procedió a explicarle que su tronco era suave, tan rico como un buen par de nalgas. Se les abría un hueco así, con un cuchillo, dijo poniéndose de pie, excitadísimo por su propio cuento, un hueco no muy grande para que apretara bien, y cuando uno la metía en el hueco el tronco empezaba a contraerse así, como si chupara, y entonces uno se le abrazaba y lo clavaba hasta el fondo y el tronco seguía contrayéndose así, y empezaba a soltar un juguito caliente, rico, una babaza, y era que el plátano gozaba también, que se estaba viniendo el muy cabrón, y ahí uno se volvía loco y empezaba a gritar y a remenearse hasta que no podía más y se vaciaba dentro del plátano como un caballo.

Sobresaltado por haber vuelto a tener la impresión de que la Bestia había iniciado el descenso, Bárbaro comprobó que el cinturón de seguridad estaba abrochado correctamente, y sólo entonces cayó en la cuenta de que tenía la verga tiesa como cada vez que cedía a la tentación de recordar aquella tarde. El General había terminado su cuento parado frente a él, resoplando como un caballo, con sendos lamparones de sudor negreándole el uniforme de camuflaje bajo las axilas y un bulto formidable en la entrepierna. Fue entonces cuando se quitó el cinturón, los cargadores y la pistola, se desabrochó la portañuela y extrajo una verga tensa como una serpiente blanca segundos antes de saltar sobre su presa. Los ojos de Bárbaro quedaron fijos en aquel miembro de cabeza intensamente roja, que estaba apenas a unos centímetros de su cara. El General le ordenó entonces que se acostara bocabajo y él cerró los ojos y obedeció sin rechistar, temblando como un papelito, y sintió que unas manazas lo despojaban de un tirón del short y del calzoncillo y después se metían bajo su barriga y lo ayudaban a quedar hincado sobre las rodillas, esperando la acometida que sobrevino en cuanto el General se arrodilló a su espalda, le introdujo la roja cabeza de la verga en el anillo de cobre y empezó a penetrarlo. Bárbaro sintió que las entrañas se le iban desgarrando y contrayendo a la vez, que le estaban partiendo el alma, que el General lo estaba montando como a una yegua, que así mismo le decía al oído, «Muévete, yegua», y que más allá del miedo, el dolor y la vergüenza él quería obedecer, iba a obedecer, empezó a obedecer y siguió haciéndolo hasta que alcanzó a sentir en las entrañas el fuego líquido de aquel macho que olía a cuero de caballo.

Se pasó la mano por la frente como si quisiera desprenderse de aquella memoria que nunca había conseguido revivir en calma. Una mancha de semen caliente se extendía por su entrepierna, se preguntó cómo limpiarla y concluyó que no tenía manera. En todo caso podría ocultarla tras el abrigo, como había ocultado siempre su relación con el General. Aquella primera vez, después de que el fuego se hubo enfriado en sus entrañas, cuando sufría intensamente el ardor de la penetración y la vergüenza de haberse cagado, se echó a llorar y el General se encabronó un montón y le dijo, mirándolo a la cara: «¡Los hombres no lloran!» Él sorbió sus lágrimas y asintió en silencio, aunque ni entonces ni ahora había alcanzado a saber a ciencia cierta si era o no un hombre y no lo sabría mientras no consiguiera acostarse con una mujer. La relación con el General había durado apenas un par de meses durante los cuales Bárbaro descubrió que aquel hombre bestial podía ser sor presivamente tierno, que le encantaba cantar rancheras hasta partirse el pecho y también que algún dolor secreto lo hostigaba sin cesar, carcomiéndole el alma. Desde entonces, hacía ya nueve años, Bárbaro no había vuelto a entregarse a ningún hombre y salvo su tía Lucinda ninguna mujer en particular lo obsesionaba. Pero no quería morirse sin probar a qué sabía el oscuro centro de la vida que ellas tenían entre las piernas. Se estaba diciendo que no podía más cuando un sonoro «¡Piiing!» lo hizo removerse en el asiento; advirtió que el *No smoking! Fasten seat belts!* había vuelto a encenderse y escuchó la grave voz del capitán informando en inglés y en ruso que habían iniciado el descenso hacia Moscú, donde la temperatura ambiente era de nueve grados bajo cero. Ahora vendría lo peor, se dijo aferrándose a los brazos del asiento; la pista estaría helada, la Bestia patinaría y chocaría contra un bosque desatando un incendio y él sucumbiría en medio de un amasijo de hierros retorcidos. Empezó a repasar su vida con la lucidez y la celeridad de quien está frente a un pelotón de fusilamiento. Pensó en las palizas que solía propinarle su padre, en el olor de los grandes pechos y en la débil defensa de su madre, deseó intensamente no haber destruido jamás la Casa de Muñecas, y con mayor intensidad aún quiso haber hecho el amor con Lucinda al menos una vez, recuperó la ruda dulzura del General y se abismó ante el recuerdo de la atroz, incomprensible noticia leída en la prensa hacía ya tantos años: El General se había suicidado de un disparo en la cabeza. ¿Por qué?, se preguntó ahora, sintiéndose tan desolado y huérfano como entonces, cuando estuvo llorando durante horas sobre los pechos temblorosos de Lucinda. En eso, escuchó un chirrido prolongado como el graznar de un pájaro de mal agüero y después un gran golpe seco, comprendió que la Bestia había sacado las ruedas, se dijo que quedaba poco para el final y se aferró con tanta fuerza a los brazos del asiento que sus uñas se tornaron lívidas. Los neumáticos no resistirían el peso descomunal de la nave, reventarían como un siquitraqui en cuanto hicieran contacto con el hielo y él moriría incompleto, sin haber terminado de vivir. ¿Por qué Lucinda se había negado a abrírsele? ¿Por qué lo había rechazado de plano el día que él entró a su habitación con la verga enhiesta, dispuesto a atravesar por primera vez las puertas del misterio? Entonces ella lo había tratado como a un niño, lo había despreciado como a un niño, se había reído de él como de un niño, le había explicado, como se le explica a un niño, que ni el Dios de los cristianos ni el Orula de los santeros perdonaban el incesto y que en realidad él estaba confundido en sus afectos, como un niño. La Bestia empezó a estremecerse con tanta fuerza como si estuviera sufriendo los embates de un huracán, Bárbaro se convenció de que apenas quedaban segundos para el final y alcanzó a agradecerle a los santos que no le hubiesen permitido ceder a la tentación de revelarle a Lucinda sus amores con el General; aquello la habría destruido y él la quería demasiado como para eso, la quería tanto como había llegado a querer al propio General, tanto que todavía estaba pensando en ella cuando la Bestia tocó tierra con un sonido sordo, bajó los alerones, invirtió la rotación de los motores y continuó desplazándose suavemente por la pista mientras una azafata informaba que habían aterrizado en Moscú.

TIERRA

Bárbaro miró la inclemente nevada que caía como un responso interminable sobre el campamento volante de Miet Vidisnk, se quitó la nieve de las cejas con la mano enguantada, cedió a la tentación de fijarse por un instante en los cálidos ojos azules de Nadiezdha y se sorprendió atreviéndose a rozarle la helada mejilla con los labios. Ella se echó hacia atrás, miró furtivamente a ambos lados para comprobar que nadie había visto aquel gesto, se permitió una sonrisa fugaz como un relámpago, se ajustó las orejeras de la gruesa chabka que le cubría la cabeza y la frente y en un duro castellano mesetario empezó a recitar de memoria el plan de trabajo que les esperaba al otro día; después dijo hasta mañana, dio media vuelta y echó a caminar hacia el vagón-dormitorio de las mujeres por el camino más corto, hundiéndose en la nieve hasta los tobillos. Él permaneció mirándola alelado, con la convicción de

que no había sobre la tierra ojos más bellos que los de
aquella siberiana ni paisaje más duro que la infinitud
de la taigá a finales del invierno. La vio subir obstinadamente el montículo de nieve formado sobre el talud de
la Magistral del ferrocarril Baikal-Amur en construcción, caer, levantarse, cruzar al fin las paralelas y los
durmientes invisibles bajo la nieve, y bajar y perderse
en una vuelta del camino, tras al vagón-comedor, sin
haber mirado hacia atrás siquiera una vez.

Bárbaro suspiró exhalando una columna de vapor
levemente azulado, avanzó dos pasos y se dio la vuelta
sólo con la intención de comprobar que el vapor permanecía inmóvil, varado en la gélida neblina de aquel
atardecer gris como pelo de lobo. Necesitaba fumarse
un cigarrito antes de retirarse a dormir pero no se decidía a intentar encenderlo, consciente de que todo costaba tanto esfuerzo en Siberia que hasta al aire le resultaba difícil moverse. Para colmo, en aquel campamento
volante sólo podía fumar a la intemperie; el vagón-comedor estaba cerrado y en el vagón-dormitorio que le
había tocado en suerte le sería absolutamente imposible
hacerlo. Tolia, el fotógrafo, no soportaba el olor de los
cigarrillos negros y se lo había hecho saber en el estilo
directo, seco, casi bronco que solían usar los siberianos
y que a él le resultaba tan duro y carente de cariño
como el clima de aquel lugar insoportable. Tenía que
fumar aquí y ahora, se dijo, porque una vez que estuviera dentro del dormitorio, adormecido por la calefacción, arrebujado bajo las mantas, no estaba dispuesto a
volver a salir y enfrentarse otra vez con la intemperie
por nada de este mundo. Metió la mano enguantada en
el bolsillo exterior del abrigo mongol que le habían suministrado cuando salió para los campamentos, un

abrigo tan generosamente forrado en piel de oveja que lo hacía sentir torpe y corpulento como un cosmonauta, maldijo el guante que anulaba la sensibilidad de sus dedos impidiéndole saber si había topado o no con el paquete de cigarrillos, y abrió y cerró la mano un par de veces dentro del bolsillo antes de decidirse a sacarla. Miró durante unos segundos aquel guante casi tan grueso como el de un boxeador y tardó en comprender que no había conseguido sacar los cigarrillos. Paseó la vista por las heladas sombras de la taigá preguntándose qué hacía allí, donde nunca había estado ningún cubano, ningún negro, y no supo si echarse a reír o a llorar. Inspiró profundamente aquel aire helado como una navaja pensando que si se atrevía a reír se le congelarían las amígdalas; si a llorar, las lágrimas.

Tomó una decisión y la llevó a cabo de inmediato para no tener tiempo de arrepentirse. Mordió la punta de los dedos índice y del corazón del guante derecho, liberó la mano, guardó el guante en el bolsillo del abrigo, extrajo fósforos y cigarrillos, se llevó un prajo a los labios e intentó prenderlo. Pero un esponjoso copo de nieve cayó limpiamente sobre su mano apagando el fósforo recién encendido. Entonces llevó la mano izquierda a la comisura de la boca, formó una pantalla y exclamó a todo pulmón, «¡Meee caaagooo en Dioooos!» Mientras el grito se perdía en la insondable taigá sintió que el frío había empezado a metérsele dentro como una serpiente de hielo, pero aun así volvió a explayarse, «¡Meee caaagooo en Diooos y en mi sueeerteee!» Después bajó la cabeza, adelantó un tramo de la bufanda de lana hasta ponerla a la altura de la oreja y en aquel mínimo espacio protegido de la nieve consiguió por fin encender el cigarrillo. Sintió que el humo se iba incorporando a su respiración como un delicioso veneno y en eso cayó en la cuenta de que había empezado a perder sensibilidad en los dedos de la mano liberada. Volvió a ponerse el guante, logró fumar en paz durante unos segundos e incluso alcanzó a evocar los ojos de Nadiezdha. Se estaba preguntando cómo alguien de apariencia tan frágil podría ser tan fuerte cuando reparó en que la llama del cigarrillo estaba a punto de alcanzar los dedos del guante. En un movimiento automático intentó coger el prajo con las yemas del pulgar y del índice de la otra mano, pero el tejido del guante era tan grueso que le impidió manejar los dedos con eficacia y el cigarrillo cayó en la nieve, apagándose de inmediato.

Estuvo a punto de volver a maldecir su suerte pero le faltaron fuerzas para hacerlo. Gritarle a la taigá no tenía sentido, un cubano en Siberia no tenía sentido, seguir a la intemperie no tenía sentido, nada tenía sentido en aquel viaje, salvo la lejana cercanía de Nadiezdha. Renunció a fumar y se dirigió tiritando hacia el vagón-dormitorio por el camino más corto, como lo había hecho ella. Muy pronto comprendió que era un estúpido, pesaba mucho más que la muchacha y por lo tanto se hundía en la nieve más profundamente que ella, casi hasta las rodillas, con lo que avanzar se convertía en un tormento. Merecido, se dijo; no podía olvidar que estaba en aquel mundo maldito debido a una decisión exclusiva, estúpidamente suya. Nadie más tenía responsabilidad en que estuviese muriéndose de frío, hundiéndose en la nieve, desesperándose por la virtual imposibilidad de hablar a solas con Nadiezdha. ¿Cómo hacerlo si en aquella fría frontera con la nada no había un miserable bar, un hotelucho, una posada?, ¿si dormían en vagones separados por sexos?, ¿si únicamente podían estar solos a la intemperie, donde la temperatura fluctuaba entre los veintidós y los veintisiete grados bajo cero? Soltó una maldición al sentir que las piernas le temblaban debido al esfuerzo de sacarlas de la nieve y volverlas a hundir a cada paso y de contraalzarse con más fuerza para subir la cuesta del talud, y la idea de dejarse caer y congelarse y morirse y liberarse así de aquella agonía pasó por su cabeza como un celaje.

Sintió que lo detestaba absolutamente todo, incluso el horrible sistema de siglas en virtud del cual un nombre tan bello como Baikal-Amur Magistral —que además identificaba a un lago, a un río y a la línea de ferrocarril que los uniría a ambos a través de miles y miles de kilómetros— terminaba reducido a aquella palabreja seca e incomprensible como un disparo, BAM, que en ese mismo momento decidió no utilizar ni una sola vez en el reportaje. Cruzó las paralelas y los durmientes, bajó el talud, tropezó con un tocón enterrado en la nieve y cayó de rodillas. Inmediatamente miró hacia ambos lados, como lo había hecho ella un rato antes, cuando él se había atrevido a rozarle la mejilla con los labios. ¡Ah, Dios, qué ganas tenía de besarla!, se dijo mientras hundía el puño en la nieve para afincarse en la tierra helada, incorporarse y reemprender el camino. Al bordear el vagón-comedor experimentó una leve repugnancia, no soportaba aquella comida grasienta pero tampoco le quedaba más remedio que tragársela. Comer aquel rancho para osos formaba parte de la vida en Siberia; el hambre se llevaba fatal con el frío y sería el colmo que le tocara enfermarse allí, en el fin del mundo. Repitió la sopa de gachas que había tomado apenas media hora antes, escupió y miró la saliva caer blandamente sobre la nieve. Lástima, le hubiera encantado verla congelarse en el aire como si la vida allí fuera un circo; pero ya Nadiezdha le había explicado que ese fenómeno sólo ocurría a partir de menos cuarenta y cinco grados, y él, que tiritaba incluso a cero grados, no acertaba a entender cómo sería posible vivir a esas temperaturas diabólicas. Lo era, sin duda, y para probarlo allí estaban los yakutos, los buriatos, los kirguizes, los obstinados rusos y también y sobre todo ella, Nadiezdha, aquella siberiana frágil como un carámbano, dura como un pedernal, incomprensible como un enigma.

Cuando llegó frente al vagón-dormitorio ya todo estaba oscuro pese a que apenas serían las cuatro de la tarde. ¡Qué mundo siniestro aquél donde la luz y el calor eran tan escasos como la alegría! No tenía sueño pero tampoco nada que hacer salvo invernar; miró la basta puerta del vagón y antes de decidirse a abrirla se llenó los pulmones de aire limpio y helado. En el zaguancillo se despojó trabajosamente de las botas y de la ropa más pesada y sólo entonces entró al dormitorio propiamente dicho, donde un golpe de peste lo estremeció como una patada en el pecho. Se cubrió la nariz con una mano y en un par de pasos llegó hasta la estufa. Comprobó con el rabo del ojo que Tolia aún estaba despierto y sintió que también detestaba a aquel tipo. Eran aproximadamente de la misma edad, complexión y estatura, pero Tolia tenía la piel blanquísima, la cara afilada, la barba rala y rubia, los labios finos y los ojos azules e intensos. Bárbaro solía pensar que aquel hombre bello como un Cristo siberiano era su negativo; no podían comunicarse porque el tipo no hablaba una palabra de español y por otra parte no perdía la oportunidad de poner de manifiesto sus habilidades de siberiano y su conocimiento del terreno, dejándolo a él en evidencia ante Nadiezdha. Dejó de mirarlo, suspiró y tuvo una arqueada al respirar abiertamente aquella peste insoportable como la de una letrina, hecha de la hediondez del grajo, los pedos y los eructos de col agria de Tolia y de Chachai, el chófer, un buriato pequeñito y sumamente ingenioso, de largos bigotes lacios, que ya dormía como un tronco y que aun en ese estado mantenía aquella especie de semisonrisa irónica que lo acompañaba siempre, distanciándolo de los rusos. Bárbaro dominó las ganas de devolver, sostuvo durante un rato las manos a un palmo de la estufa al rojo vivo, y luego empezó a dar vueltas lentamente frente a ella para calentarse el pecho y la espalda, tal y como se lo había visto hacer a Chachai y a Tolia, que en ese mismo momento dijo algo que debía significar buenas noches, cerró los ojos, apagó la lamparita de queroseno y se dio la vuelta en el camastro. En la súbita oscuridad Bárbaro se olió los sobacos, comprobó que apestaban a azufre y se sintió tan mal como si les hubiese faltado a su madre y a Lucinda, para quienes un negro apestoso era un ser absolutamente detestable. Pero él no lo era, les susurró evocándolas, apestaba porque no le quedaba otro remedio, no era su culpa que no hubiese baños, inodoros ni siquiera urinarios en aquel lugar salvaje. Tolia y Chachai, por ejemplo, sí eran verdaderos cerdos, ni siquiera echaban de menos la carencia de duchas e incluso se daban el lujo de burlarse de él por su obsesiva necesidad de higiene. Por lo menos Chachai era buriato, bajito y amarillo, pero Tolia era ruso, blanco como la leche, y aun así se comportaba como un puerco y encima se reía de él y lo retaba a sostener las más estúpidas competencias, como un reno siberiano.

El calor lo reconcilió a medias consigo mismo, se metió en el camastro sin despojarse de la ropa interior de lana que al principio del viaje a los campamentos había sido blanca y ahora era de un gris desvaído, se tendió del lado derecho para no hacer recaer el peso sobre el corazón, y se tapó hasta la barbilla pensando que el infierno no era aquel lugar hirviente con el que solían asustarlo cuando niño, sino un sitio helado como la muerte. Oh, sí, el diablo era blanco, de hielo, y las ánimas del purgatorio eran renos condenados a vivir retándose por siempre sobre la nieve. Ella misma, Nadiezdha, no era otra cosa. Cedió a la tentación de evocar el momento en que la había conocido, hacía apenas unas semanas que ahora le parecían interminables como siglos, y sintió que la sangre se le agolpaba en el rostro en una mezcla de deseo, rabia y vergüenza. Él estaba en absoluta desventaja aquel día, aterrado desde que el avión en que venía de Moscú había empezado a descender hacia el aeropuerto de Irkust en medio de una tormenta de nieve. No se veía un carajo en aquella mañana que parecía pintada por un Malevich delirante, blanco sobre blanco sobre blanco, pero el piloto decidió aceptar el reto de aterrizar a ciegas porque seguramente era siberiano y por tanto estaba dispuesto a partirse los tarros contra la tierra helada arrastrando consigo a la tripulación y a los pasajeros. Bárbaro había empezado a sentir en el estómago los brutales estremecimientos de la nave cuando se le ocurrió pensar que Irkust sonaba parecido a Ikú, el nombre de la muerte en la lengua de sus remotos ancestros africanos, descubrió que ésta era blanca como la nieve y la mentira, se dijo que lo estaba esperando en Siberia para congelarle la sangre y evocó al General, a su madre y a Lucinda. Ellas vivían en una tierra verde y el General descansaba en un cielo azul y él no quería ni vivir ni morir lejos de aquellos a quienes amaba. Cuando la nave perdió sustentación definitivamente intentó gritar, pero le fue imposible, se había tragado la voz de puro miedo al comprender que se estaba precipitando sin remedio contra la tierra. Cerró los ojos para no ver aquel final que lo convertiría en un cadáver blanco, las ruedas del avión pegaron un topetazo brutal, la nave rebotó, volvió a caer y empezó a derrapar sobre la pista congelada mientras el piloto invertía el sentido de la rotación de los motores y aceleraba a tope sin poder evitar que la nave perdiera la guía, saliera al campo y quedara atascada en la nieve como un animal herido.

Bárbaro había sentido entonces un alivio incomparablemente más poderoso que el que experimentaba ahora, acunado por el calor del camastro, mientras recordaba cómo la inefable sensación de saberse a salvo le había permitido sonreír. Pero la sonrisa se le congeló en el rostro al recordar que de inmediato había sufrido un nuevo golpe de agobio; era imprescindible desembarcar, ¿y cómo atreverse en medio de aquella tormenta de nieve si provenía del trópico? Durante unos segundos extraños, en los que no pasó absolutamente nada, albergó la esperanza de poder permanecer agazapado en el vientre del aparato y de que éste lo devolviera a La Habana sin pasar siquiera por Moscú, pero la inercia se quebró enseguida, cuando los pasajeros empezaron a felicitarse por el final de la maniobra palmeándose mutuamente las espaldas, como osos, y se fueron enfundando después en formidables abrigos, como morsas.

Bárbaro se sobrevistió y obtuvo un cierto alivio al comprobar sobre los hombros el peso del abrigo de paño azul marino que traía de La Habana, aunque muy pronto el agobio volvió a aplastarlo. No tenía un rublo. No conocía a nadie. No entendía una palabra de ruso. No era un oso ni una morsa. Los primeros pasajeros empezaron a abandonar la nave con toda tranquilidad, el pasillo se fue desatascando poco a poco, y él permaneció inmóvil mientras veía pasar a los últimos pasajeros como una continuación de la pesadilla que creía sufrir y que llegó al clímax cuando el pasillo quedó vacío y un sobrecargo de poblados bigotes rubios le indicó la puerta de salida, por la que entraba un viento helado como una maldición. No tuvo otro remedio que huir hacia adelante, pero en cuanto se asomó a la puerta la fuerza de la ventisca lo obligó a calarse la gorra hasta las cejas y a cubrirse la boca y la nariz con la bufanda.

Afuera todo era de un blanco opaco, tan diabólicamente bello como un paisaje del infierno. Blancos eran el cielo y el aire, blanco el gigantesco tractor situado como una especie de locomotora frente a un ómnibus blanco que tenía el radiador abrigado por una espesa pieza de guata cubierta de nieve. Cuando empezó a bajar la escalerilla batida por el viento, cuya base estaba semihundida en la blancura de la nieve, se dijo que había arribado a otro mundo, que nunca había visto un ómnibus abrigado como si fuera una persona, que seguramente nadie lo estaría esperando en aquel universo blanco donde se moriría de soledad y de frío. Los dientes le castañeteaban y las finas suelas de sus botines rechinaban en la capa de hielo que había cubierto la escalera portátil en un santiamén. Fue el último en subir al ómnibus, que ya tenía el motor en marcha y que arrancó de inmediato tras el tractor cuya inmensa cuchilla empezó a abrir una senda en el opaco desierto blanco. Los vehículos avanzaron en medio de la tormenta con la lentitud de un entierro hasta detenerse frente al edificio central del aeropuerto, que parecía un barco blanco varado en medio de un océano blanco. Estaba pegado a la puerta y le tocaba ser el primero en bajar, pero la súbita certeza de que nadie estaría esperándolo lo mantuvo paralizado hasta que los otros lo empujaron como una manada de lobos hambrientos de calor y lo hicieron entrar al salón. Entonces la vio, alta y delgada y rubia, enarbolando un cartelito que decía «Señor Bárbaro». Corrió hacia ella como un niño en busca de amparo y de puro nerviosismo, alivio y agradecimiento abrió los brazos con la intención de estrecharla. Pero ella se echó hacia atrás, extendió la mano derecha con la inequívoca intención de mantenerlo a distancia y se presentó con una suerte de sequedad militar.

—Nadiezdha Shalámov González, su intérprete.

Y permaneció escudriñándolo en silencio, sin ocultar su asombro ante el color de la piel del visitante, mientras Bárbaro se preguntaba por aquel sorprendente e inexplicable González. Pero no se atrevió a expresar su extrañeza; se sentía molesto por el parón que ella le había propinado, incómodo por su propia efusividad tropical y porque Nadiezdha seguía mirándolo con una curiosidad fría e irrefrenable. Entonces no sabía cómo comportarse ante aquella siberiana, pensó ahora, dándose la vuelta en el camastro hasta quedar bocabajo, pero lo peor era que no había logrado averiguarlo todavía. Desde la mañana de su llegada Nadiezdha lo había parado en seco muchas veces, pero también lo había provocado y retado otras tantas, de modo que nunca sabía cómo reaccionar ante ella. En el propio aeropuerto, por ejemplo, mientras esperaban el equipaje, cuando él dejó por fin de tiritar y se serenó lo suficiente como para mirarla a su vez con algo de calma, tuvo la vívida impresión de que ella rehuía su mirada. Tendría veinticinco, quizá veintisiete años, el pelo tan claro y brillante como el platino, las mejillas levemente rosadas, los ojos grandes e intensamente azules, los labios finos, afeados en las comisuras por un rictus amargo y profundo como una cicatriz, y era evidente que le gustaba mirarlo y que no soportaba ser mirada por él. Bárbaro concluyó que estaba ante una mujer bella, dura y fría, se dijo que no era ella quien lo ayudaría a cumplir su promesa de entrar al fin en una hembra y dejó de mirarla. Poco después, cuando la intensidad de la calefacción empezó a sofocarlo y lo obligó a quitarse el gorro y la bufanda y a descubrir su rostro y su pelo, ella volvió a mirarlo fijamente, y él sintió que el renovado asombro de aquellos grandes ojos azules ejercía sobre su piel una presión insoportable.

—Eres negro —dijo al fin Nadiezdha, incapaz de dominarse—. Negro como el carbón.

Bárbaro bajó la cabeza, avergonzado de no sabía qué. Miraba el piso cuando sintió la mano de Nadiezdha acariciándole lentamente el pelo y quedó tan sorprendido que permaneció cabizbajo, disfrutando del calor de aquellos dedos que le llegaron hasta la nuca y le presionaron el cuello. Levantó la cabeza en el mismo momento en que ella retiraba la mano y pasaba a escudriñarse los dedos como si quisiera comprobar si se los había tiznado al tocarlo. Fue entonces cuando cayó en la cuenta de que ella tenía las uñas carcomidas como una niña vulnerable e insegura. Pero no supo qué hacer, paralizado por una mezcla insoportable de excitación, rabia y vergüenza, la misma que volvió a atenazarlo ahora, cuando se puso bocarriba en el camastro y comprobó que había vuelto a alterarse como cada vez que reconstruía aquel momento cuyo significado profundo, sin embargo, seguía escapándosele. No acertaba a entender si le había gustado a Nadiezdha hasta el punto de volverla loca, o si simplemente ella había reaccionado a la sorpresa de encontrarse frente a un negro por primera vez en la vida. Tampoco pudo entenderlo al día siguiente, pensó intentando reconciliarse en vano con el almohadón que lo obligaba a mantener la cabeza levantada como un títere; entonces había dormido de un tirón durante casi veinte horas en la cálida habitación del hotel Intourist que ahora añoraba tanto, había desayunado bien y estaba ansioso por volver a verla, de modo que cuando ella le avisó por teléfono que lo esperaba en el lobby decidió bajar en mangas de camisa para recordarle desde el principio que estaba frente a un negro. Pero esta vez se atuvo a las reglas del juego que ella había impuesto en el aeropuerto y cuando la tuvo enfrente se limitó a tenderle la mano. Al estrechársela, Nadiezdha lo miró de nuevo con aquella intensidad que lo desarmaba y lo hacía abrigar la esperanza de que ella podría acariciarle los vellos del pubis con la misma apasionada curiosidad con que le había acariciado el pelo en el aeropuerto. ¡Oh, Dios, si eso llegara a ocurrir alguna vez!, pensó ahora, mientras se sorprendía agarrándose el miembro, enhiesto como el hacha de Changó, y evaluaba y descartaba la idea de masturbarse pensando en ella, como solía hacerlo en Cuba evocando a Lucinda o al General. No, eso lo deprimiría y necesitaba mantener las fuerzas en tensión y concentrarse a ver si lograba vencer los retos de aquel mundo, entender a aquella mujer, encontrar así el camino más corto hacia su entrepierna y cumplir de una vez y por todas con sus dioses. No sería fácil, quizá ni siquiera sería posible, porque desde el principio Nadiezdha y su universo habían sido un misterio. Aquella mañana en el hotel, por ejemplo, cuando ella lo invitó a tomar un té en la cafetería y él se atrevió a sugerir por puro nerviosismo que mejor hacerlo en la habitación, donde estarían más tranquilos, Nadiezdha dejó de mirarlo con lo que él interpretaba como pasión y empezó a hacerlo con la cortante ironía que luego habría de repetir tantas veces.

—¿Subir a la habitación de un extranjero, de un negro? ¿Aquí, en Irkust?

Se echó a reír, y el rictus amargo que le marcaba las comisuras de los labios se profundizó más aún con la carcajada. Después le dio la espalda y se dirigió al restorán, esperando, por lo visto, que él la siguiera sin rechistar, como un perrito faldero. Y eso fue justamente lo que hizo, recordó ahora Bárbaro, todavía incómodo por la ingenuidad de su propia propuesta. Sabía perfectamente que en Cuba los indígenas no podían subir con forasteros a las habitaciones de los hoteles, pero jamás había pensado que en Siberia rigiese la misma ley, ni tampoco que nunca hubiesen visto a un negro y lo hiciesen sentir por ello doblemente extranjero. «Darle la vuelta al mundo para eso», pensó mientras se pasaba la mano por el bajo vientre, donde había sentido un leve latido, unos deseos de orinar que empezaron a inquietarlo. Volver a vestirse de oso para salir a mear bajo la nevada sería un desastre, desde luego; debía resistir y dominarse hasta el amanecer del día siguiente. Empezó a acariciarse el pelo, aquella cabellera encaracolada que lo distinguía y lo marcaba, hasta que la memoria de las caricias de Nadiezdha en el aeropuerto llegó a dolerle. No obstante, siguió acariciándose como lo había hecho ella entonces y la evocó sentada en la cafetería del hotel, la cabellera fulgurando como una luz de platino sobre el fondo blanco de la avenida Dherzinsky que se traslucía por los ventanales de la fachada, los labios apretados en el consabido rictus de amargura y los ojos azules rehuyendo mirarlo. De pronto, como si hubiera decidido romper aquella tensión alimentada por la inactividad y el silencio, ella puso sobre la mesa el proyecto de plan de trabajo que él había enviado desde La Habana, releyó el papel con una calma desmentida por la ansiedad con que se mordió un par de veces las uñas, meneó la cabeza como si todo aquello fuese incomprensible e inútil, lo miró a los ojos y le preguntó secamente.

—¿Para qué viniste a Siberia?

Él se removió en el camastro al recordar aquella pregunta abierta como un abismo al que no tuvo, sin embargo, el coraje de lanzarse. A Nadiezdha parecía alterarla tanto su presencia que había llegado al extremo de interpretar aquel viaje de trabajo como un asunto personal, casi como una provocación, y había creado con la pregunta un espacio en el que hubiese sido posible abolir el ritual de los tanteos y entrar a matar a la primera, abriéndose el pecho. Pero él, atemorizado por aquella manera directa, casi brutal de relacionarse, se escudó en la respuesta más lógica que era también la menos arriesgada de cuantas pudo haberle dado, y se limitó a decirle que había venido a hacer un reportaje. Entonces ella frunció los labios, un marcado toque de desencanto se sumó al rictus de amargura que la acompañaba siempre, como un castigo, y respondió: «Regresa a tu tierra. No soportarás Siberia». Bárbaro recordó ahora aquella profecía pensando que si hubiese tenido el coraje de saltar por sobre lo evidente, si se hubiese decidido a abrir a bocajarro una espita en la parte más profunda de su verdad, quizá las cosas entre ellos podrían haberse desarrollado de otra manera. En lugar de aquella banalidad sobre el reportaje pudo haberle dicho, por ejemplo, que había venido a probarse, como le murmuró ahora a la almohada. Ah, si hubiera tenido el valor de responderle así se habría situado a la altura de la pregunta que ella le había dirigido, abriendo a su vez un espacio de riesgo en el que tal vez hubiera sido capaz incluso de llegar a confesarse. «Tenía que vencer de una vez mi miedo a los aviones, mi miedo al frío y sobre todo mi horror a no saber qué hacer frente a una hembra», murmuró ahora, mientras acariciaba dulcemente la funda, blanca como la piel de Nadiezdha. De pronto le pegó dos fuertes manotazos a la almohada como si se fustigara al recordar que no había tenido el coraje de entregarse, que se había detenido como un imbécil ante aquella puerta recién abierta que ella misma se encargó de tirarle en las narices al decirle que no se hablara más del tema.

Se habló, sin embargo, pensó mientras daba una vuelta en el camastro con la intención de restarle presión a la vejiga, se habló aquella misma tarde en la oficina de Anastas Georguevich Bezujov, el Secretario de Prensa del Soviet de Siberia Oriental, un gordo cincuentón que tenía entre las cejas una verruga negra como una mosca. La atmósfera de la oficina era cálida, pero la decoración resultaba fría, y Bárbaro captó desde el principio que Nadiezdha estaba tensa en aquel lugar, que se comportaba de una manera puntillosamente profesional, como si sobre todo le importara hacer un trabajo irreprochable a los ojos del gordo Anastas Bezujov. Tomaba notas cuando éste hablaba y luego traducía sin énfasis y sin ahorrarse una palabra, como una máquina. Pero cuando terminaron las generalidades y los brindis y Anastas empezó a hablar de la dureza de la vida en la Siberia profunda, Nadiezdha se olvidó de tomar notas y empezó a traducir con fuerza, apasionadamente. Anastas tenía un generoso bigote manchado de nicotina, hablaba con calma e incluso, dedujo Bárbaro, con una cierta ironía cansada; en cambio, a Nadiezdha parecía irle la vida al traducir que los extranjeros en general y los occidentales en particular no resultaban aptos para la vida en la Siberia profunda, sin olvidarse de añadir la incómoda precisión de Anastas, según la cual Bárbaro, pese a ser negro, provenía de occidente, y lo mejor que podía hacer, por tanto, era quedarse en el hotel de Irkust. Nadiezdha tradujo la frase con el énfasis de quien da una orden, Anastas se puso de pie, y adelantándose a la pregunta de Bárbaro acerca de cómo escribir entonces el reportaje sobre la construcción del ferrocarril Baikal-Amur, le alargó una colorida folletería traducida al español donde se calificaba reiteradamente a aquel empeño como la obra del siglo.

Bárbaro suspiró al sentir que la presión de su vejiga aumentaba, paseó la vista por las sombras rojizas creadas por los rescoldos de la estufa y se preguntó qué coño hacía allí, en aquel vagón apestoso como una celda perdida en la nieve. Se reconcilió un tanto consigo mismo al decirse que la distancia existente entre la machacona propaganda de la folletería suministrada por

Anastas Bezujov y la realidad que había podido tocar en los campamentos volantes del Baikal-Amur era tan grande como la que había entre el calor del vagón y la helada de la noche a la intemperie. Anastas tenía razón, la vida en Siberia era insoportable; pero él también la tuvo al responderle que un periodista no podía rebajarse a trabajar con información fría. Si aceptaba a limitarse a transcribir lo que decían los folletos, dijo, ¿para qué había venido a Siberia? Nadiezdha lo miró a los ojos con una especie de rencor velado antes de traducir aquella pregunta, que sólo entonces él identificó como la misma que ella le había dirigido en la cafetería del hotel esa mañana. Pero en la oficina de Anastas no estaban solos y ni siquiera se trataba de la relación entre ellos, sino de la moral del oficio, se dijo ahora, mientras intentaba vencer los deseos de orinar que volvían a angustiarlo unidos a la memoria de lo que había seguido diciendo entonces: que estaba dispuesto a viajar a la Siberia profunda y a vivir en las mismas condiciones que los constructores del Baikal-Amur. Si él lo quería así, respondió Anastas encogiéndose de hombros, como si se sintiera liberado de cualquier responsabilidad con respecto a aquel asunto, así se haría. Le encargó a Nadiezdha que organizara el recorrido en calidad de guía e intérprete, extendió la mano y emitió una cansada sonrisa de despedida. Bárbaro le dijo adiós con la extraña impresión de que la verruga en forma de mosca que dividía las cejas del gordo Anastas Bezujov estaba a punto de echarse a volar.

Cuando abandonaron la oficina él estaba satisfecho y ella irritada, como si la recién adquirida obligación de acompañarlo le resultara insoportable, y en el auto donde regresaban al hotel intentó otra vez convencerlo de que permaneciera en Irkust, argumentando que un negro sufriría demasiado en los campamentos del Baikal-Amur y que él no sería capaz de soportarlo. Bárbaro calificó aquel argumento de racista, subió la voz al afirmar que un negro podía lo que un blanco, y Nadiezdha lo retó en un tono sordo y concentrado a que lo intentara si se consideraba tan valiente, ya que no era capaz de escarmentar en cabeza ajena. Entonces él había llegado a pensar que por alguna razón inexplicable ella lo odiaba; pero ahora tuvo una especie de revelación y se sentó de golpe en el camastro: Nadiezdha había intentado retenerlo en Irkust porque temía acompañarlo a los campamentos. Después de diez días tragando frío junto a ella le resultaba evidente que su presencia la excitaba y que allá, en Irkust, se hubiese sentido segura y quizá también atada y al mismo tiempo protegida por algún compromiso. Nadiezdha no lo odiaba; necesitaba derrotarlo, simplemente, por eso había programado el viaje empezando por los campamentos volantes, levantados de manera provisional al borde de las vías en construcción y carentes de cualquier comodidad humana; no lo odiaba, pero estaba empeñada en quebrar su voluntad obligándolo a pedir el regreso a Irkust y aun a Cuba, donde lo perdería de vista para siempre. Pero él no estaba dispuesto a ceder bajo ningún concepto, pues de tanto cavilar sobre su situación había llegado a darse cuenta de tres cosas que recapituló ahora ayudándose a contar con los dedos como un niño, con la intención de fijarlas y apoyarse en ellas para resistirlo todo. Primera, aquella siberiana soberbia, vulnerable, rubia, alta y misteriosa lo excitaba tanto como sólo habían conseguido hacerlo en su vida Lucinda o el General; segunda, la atracción era mutua, y si él tenía el coraje de resistir terminaría por llevársela a la cama, entrar al fin en una hembra y cumplir de una vez y por todas con sus dioses; tercera, Nadiezdha sólo respetaba a quienes fueran capaces de soportar la vida en Siberia, de modo que si se rajaba perdería toda oportunidad de tenerla.

Se entusiasmó muchísimo con sus propias conclusiones, tanto, que las crecientes ganas de mear se dispararon terminando por imponerle la ingratísima obligación de salir a la intemperie. ¡Qué pesadez! ¿Y si aguantara? ¿Si buscara el sueño debajo de la almohada, como solía decirle su madre cuando niño? Sería inútil, lo sabía perfectamente, y sin embargo se contrajo durante unos segundos negándose a aceptar lo inevitable. Pero cuanto más esfuerzo hacía por olvidar el dolor de vejiga mayor presión sentía allí y más lejos se situaba del sueño, como cuando pretendía olvidar a Nadiezdha y la memoria de la muchacha se empeñaba en fustigarlo hasta lo indecible. ¿Y por qué coño no había servicio en el campamento, a ver? ¿Por qué hasta algo tan elemental como echar una meadilla equivalía a una tortura? Conocía las respuestas y sin embargo no pudo evitar repetirse una y otra las preguntas mientras bostezaba. Suspiró, bostezar sin conseguir dormirse era otro suplicio siberiano que debía sufrir por el empeño de Nadiezdha en instalarse en campamentos volantes, carentes de baño. Ah, si al menos lo hubiesen hecho en campamentos fijos vinculados a aldeas ya existentes o a poblados recién construidos, aquellos que en el sueño de los diseñadores terminarían por convertirse en las ciudades siberianas del futuro, como el que le tocaba visitar mañana, por ejemplo, en la maderera de Ust Ilimsk, hubiera podido al menos mear en paz. Sólo que mañana visitarían también el primero de los Grandes Túneles del Noreste y para ello tendrían que desplazarse en avioneta, otra tortura en la que prefería no pensar ahora. A tientas, se puso los calcetines y los sobrecalcetines de lana, tan endurecidos por el churre que parecían de cartón. Pasó la mano por sobre las perneras del sobrecalzoncillo largo y apestoso que estaba tirado frente al camastro, estuvo a punto de deslizarse en el abismo de una depresión y para protegerse recordó a Nadiezdha entregándole aquellas ropas, que entonces estaban flamantes, antes de abandonar Irkust.

La Siberia profunda podía matar, le había advertido ella en la nave del basto almacén donde obtuvo aquella especie de uniforme para osos que él empezó a ponerse ahora maldiciendo en voz baja, como también lo había hecho antes, incómodo por el peso insoportable de las ropas y por la catilinaria que Nadiezdha seguía soltándole con la intención evidente de atemorizarlo y obligarlo a permanecer en Irkust. La Siberia profunda era un reto permanente que podía helar a los tontos o a los desprevenidos, había continuado diciendo ella irritada por el terco silencio de Bárbaro, podía congelarles los dedos, la nariz o las orejas y arrancárselos de cuajo como trocitos de hielo; por lo tanto, él debía comprometerse a obedecerla siempre y a permitir incluso que ella revisara botón a botón su indumentaria antes de exponerse a la intemperie, ya que había sido tan tonto, tan negro y tan cubano como para insistir en el viaje. Bárbaro se sorprendió a sí mismo al estallar replicándole que ella no era más que una racista de mierda y que ni los cubanos ni los negros eran tontos. Nadiezdha se rajó en llanto, avergonzada como una niña, y él sintió que su rabia se disolvía ante la desesperada belleza de aquella mujer tan dura y sin embargo tan frágil. Entonces había cedido a la tentación de rozarle las mejillas con los dedos y ella había dado un paso atrás, alterada como una monja ante el demonio, mientras le exigía que no la tocara. Bárbaro quedó helado, intuyendo que tras aquella máscara de soberbia aleteaba una tragedia cuyas claves no había sido capaz de desentrañar todavía.

Terminó de abrocharse el abrigo y se dirigió a la puerta del vagón reconociendo que temía tanto a los imprevisibles cambios de humor de Nadiezdha como a la propia intemperie siberiana. Lo desconcertaba que a veces ella se comportara como un jugador de póquer, retándolo; otras como un sargento; y otras todavía con la solicitud de una hermana o de una madre, que a veces le recordaba a Lucinda hasta el punto de hacerlo pensar que aquella sobreprotección obstinada podía ser un disfraz siberiano del afecto, o quizá del deseo. En todo caso se había ido acostumbrando a necesitarla, y ahora, antes de salir al exterior, se descubrió pidiéndole permiso para hacerlo. Enfrentó la gruesa capa de hielo que cubría el cemento de la acera levantada de modo provisional frente al vagón e imaginó que Nadiezdha le susurraba al oído: «Ten cuidado, el hielo es peligroso». Comprobó que la nevada había terminado y empezó a desplazarse por sobre el cemento helado sin levantar los pies, con tanta precaución como quien anda por el borde de un alero, y llegó a la nieve sano y salvo, sintiéndose protegido como un niño. ¡Era fantástico tenerla al lado! En eso, la vejiga volvió a dolerle y se preguntó si tendría sentido llegarse hasta las letrinas situadas detrás del bosque, en las que no había estado todavía. No, no tendría ninguno. Ella lo autorizaría a

orinar allí mismo e incluso le exigiría que lo hiciera enseguida, antes de que el frío liquidara el calor que traía
consigo desde el vagón. Se dio la vuelta hasta quedar
de espaldas al lugar en el que su imaginación la había
situado, se quitó el guante derecho, y con gran dificultad consiguió abrir uno de los botones del largo abrigo
mongol, dos de la bragueta del pantalón enguatado
y tres del sobrecalzoncillo de lana. Entonces intentó
sacarse el pito, pero no lo encontró. Los dedos, que ya habían empezado a entumecérsele, se le enredaron entre
tanta tela; el pito debía de estar en el fondo, encogido
de frío. En eso imaginó que Nadiezdha soltaba la carcajada y dio unos pasos para alejarse de ella sin cesar de
buscárselo. Fue inútil, disponía de una sola mano y el
frío y la vergüenza se la habían agarrotado. La vejiga
empezó a dolerle cada vez con más fuerza. Tenía que
encontrar una solución inmediata o terminaría meán-
dose en los pantalones, pero no se le ocurrió otra cosa
que dar saltitos para atenuar el dolor. Entonces imaginó
que ella dejaba de reír, se le acercaba, le decía cálmate y
empezaba a darle instrucciones. Siguiéndolas al pie de
la letra se despojó del guante izquierdo, hurgó minuciosamente en las entretelas de las ropas con ambas manos
y terminó por encontrarse el pito encogido de frío, tan
pequeñito como el de un niño. Intentó sacárselo, pero
súbitamente lo acometió el terror de que se le congelara, se le partiera y se le cayera de cuajo convertido en
un trocito de hielo, como según Nadiezdha solía ocu-
rrirle a narices y orejas, y en cuanto logró que la cabeza
llegara a la altura de la portañuela empezó a mearse sobre los pantalones.

Al terminar volvió a ponerse los guantes, como ella
le hubiese ordenado, desechó la idea de fumarse un ci-

garrillo pese a que se moría de ganas, y se encaminó hacia el vagón-dormitorio tan rápidamente como pudo pensando que era menos malo soportar la ansiedad que el frío. Estuvo a punto de caerse al resbalar sobre la capa de hielo que cubría la acera de la entrada, consiguió conservar el equilibrio apoyándose en la puerta, entró al vagón y se desvistió maldiciendo en voz baja, sobrepasado por el hedor y por la peste a orina que emanaba de su entrepierna. ¿Cómo coño Nadiezdha podía estar tan orgullosa de ser siberiana? Lo más extraño, se dijo al dirigirse hacia el camastro arrastrando los pies para no hacer ruidos que pudieran molestar a Tolia o a Chachai, era que ella no mentía al respecto. Se volvió a acostar y se tapó hasta la barbilla; no, no mentía, estaba convencida de que el bregar con aquella naturaleza en la que invierno e infierno eran sinónimos convertía a los nacidos allí en seres física y moralmente superiores. A lo largo de los días compartidos en aquel universo Bárbaro había llegado a entender que para ella ser siberiana significaba pertenecer al pueblo elegido, al escalón más alto de la trágica superioridad que a sus ojos le otorgaba el mero hecho de haber nacido rusa. Porque para Nadiezdha la primera condición de pertenencia al pueblo que Dios había situado en Siberia con el fin de que sufriera la vida como una travesía en un desierto de hielo, expiara sus culpas y recuperara el paraíso en el más allá, era ser ruso. Los otros, las decenas de pueblos asiáticos que habitaban desde siempre en aquel continente constituían para ella parte de la naturaleza, como los abedules, las bayas o los tigres del norte; y los alemanes que habían sido deportados a Siberia cuando la Segunda Guerra Mundial, y los judíos que lo habían sido con posterioridad, eran algo así como insignificantes accidentes de la historia. Ninguno estaba allí por la sagrada combinación de la voluntad de Dios y el libre albedrío que los convertía en elegidos, salvo los rusos. Pero aun entre los propios siberianos de origen ruso Nadiezdha establecía diferentes grados de santidad o de nobleza. En primer lugar estaban los ex prisioneros políticos que habían decidido permanecer viviendo en Siberia, reyes morales de aquel mundo a quienes reconocía con extraordinaria facilidad y adoraba como a santos; y después los príncipes y princesas, como ella misma, quienes tenían que haber nacido en Siberia, acumular tantos inviernos como años de vida a la espalda y no desear marcharse jamás de aquella tierra helada a la que sin embargo odiaban con una soberbia apasionada y obsesiva.

Al considerar aquella paradoja concluyó abrumado que en el fondo nadie entendía qué hacía en los campamentos un negro como él, que obviamente no formaba parte de aquel universo ni tampoco había sido deportado. De entrada, era un *nierus,* palabreja que Nadiezdha le había traducido como «no ruso», pero que en el fondo implicaba también un cierto grado de distancia e incluso de desprecio. Su caso, sin embargo, era muy complejo; por un lado, su condición de negro lo definía como un *nierus* absoluto; por otro, justamente el color de su piel y las características de su pelo lo hacían extraordinariamente atractivo para los siberianos. Y por si todo ello fuera poco, provenía de Cuba, una isla caliente, lejanísima, minúscula de acuerdo con la cósmica escala local, a la que les habían enseñado a admirar porque luchaba a brazo partido contra los Estados Unidos de América, pero que también les provocaba una extraña mezcla de envidia y lástima. Por un lado, la imaginaban como una isla muy pobre; por otro, como un país moderno, ya que estaba situado en pleno Occidente, un universo absolutamente mitificado en Siberia, objeto, a la vez, de la más profunda idolatría y del mayor desprecio. Se dijo que su relación con Nadiezdha encarnaba todo aquel cúmulo de paradojas y contradicciones y que si tan sólo pudiera dejar de pensar en ella durante unos minutos conseguiría descansar. Bostezó, pero no consiguió olvidarla ni un instante; ella estaba tan vinculada a su experiencia siberiana como el frío, la nieve, el miedo o el deseo; no tenía sentido enrabiscarse en pretender borrarla, mejor dejarla discurrir por la memoria hasta que el cansancio se ocupara de traer de la mano al sueño que le proporcionaría al menos una tregua, unas horas de paz en medio del infierno. Volvió a bostezar, supuso que quizá podría dormir si pensaba en una imagen repetida y le vinieron a la cabeza unos osos polares saltando bardas blancas en medio de la nieve.

Tolia lo despertó seis horas después, pero Bárbaro tardó largo rato en comprender dónde estaba; su mente se negaba a abrirse y aceptar que le esperaba un día más en Siberia. Cuando reaccionó, ya Tolia y Chachai habían abandonado el vagón; él sería el último, como siempre, y los demás se burlarían de lo que consideraban su pereza, incapaces de entender que para él levantarse había equivalido durante toda su vida a salir al calor y a la luz, no al frío y a la niebla. Se sentó en el camastro y escupió en el suelo concibiendo aquel acto asqueroso, del que hubiese sido absolutamente incapaz en su propia casa, como una mínima y justificada venganza contra la insoportable cotidianeidad siberiana. Se vistió y sobrevistió lenta y mecánicamente, todavía medio dormido, refunfuñando contra su propia peste, y salió atontado al exterior. Patinó en la capa de hielo que cubría la acerita provisional, cayó de culo sobre la nieve y la estruendosa carcajada que Nadiezdha, Tolia y Chachai soltaron al unísono le dio los buenos días. Sonrió al saludarlos alzando los brazos desde el suelo, qué remedio, pues sabía perfectamente que quien ha hecho el ridículo no tenía peor opción que encabronarse. Pero estaba encabronado, entre otras cosas porque tenía un hambre feroz y las nalgas húmedas, mientras que ya los demás habían desayunado y ahora quitaban la nieve que cubría el todoterreno y él llegaría cuando todo estuviera listo, como siempre. Eso le daría fama de vago y lo disminuiría ante Nadiezdha, que invariablemente era la primera en llegar, trabajaba tanto o más que cualquier hombre y no acertaba a entender que a él cualquier nimiedad le costara un esfuerzo supremo. Meó como pudo tras el vagón-dormitorio e intentó dirigirse corriendo hacia el vagón-comedor, pero era imposible correr sobre la nieve y se demoró en llegar mucho más de lo que hubiese deseado. Estaban a punto de cerrar porque ya los obreros habían partido hacia la obra y no le quedó otra que desayunar de pie y de correcorre, desplazarse enseguida hacia el gran fregadero de plástico y enjuagarse la boca y quitarse las legañas en un dos por tres ante la mirada impaciente de la empleada de la limpieza, una gorda tocada con un extraño gorro de fieltro rojo.

Al salir se reconcilió a medias consigo mismo; lo peor había pasado, al menos de momento. Subió al asiento trasero del Niva, que ya tenía el motor en marcha, las luces encendidas y la calefacción a tope, y Nadiezdha lo recibió con un ácido «Por fin llegó el rey». Él le dirigió una sonrisa tonta a modo de excusa y se quitó los guantes, la chabka, la bufanda y el abrigo pensando que su tardanza ofendía con razón a los siberianos. La vida allí era en cierto sentido tribal, pues no había otra manera de salir adelante frente a aquella naturaleza feroz, y él, por más que lo intentaba, no conseguía coger el ritmo e integrarse en el clan. ¿Tendría sentido utilizar su torpeza como línea roja del reportaje? ¿Por qué no?, se dijo, pensando que la autoironía podía ser un recurso que le otorgara el derecho a meterse limpiamente con los siberianos. En eso el todoterreno abandonó el desvío del campamento volante y salió a la carreterita, que en aquel tramo avanzaba paralelamente al tendido de la línea férrea donde ya trabajaban centenares de obreros. Los focos de las enormes máquinas creaban una atmósfera espectral al iluminar grandes áreas de niebla sobre el fondo de la mañana oscura. Bárbaro se felicitó de viajar abrigado por la calefacción del Niva, extrajo un cuaderno del bolsillo interior de la chaqueta y tomó algunas notas a vuelapluma, diciéndose que había hecho bien en rechazar la propuesta del gordo Anastas. Sólo sufriéndola había podido entender a fondo la dureza de la vida en aquellos parajes donde ni siquiera el acero de los rieles era capaz de resistir sin alterarse los súbitos descensos de temperatura y las brutales contracciones de la tierra helada. Era preciso construir una base en la que se apoyaba un complejo sistema de tensores, capaces de absorber los movimientos tectónicos, sobre el que se colocaban los rieles que quedaban virtualmente en el aire. El acero no era capaz de resistir, pero los siberianos sí, aunque para ello les resultara imprescindible sostener con su naturaleza una intensísima relación de amor-odio sobre la que Bárbaro especulaba ahora. El odio sistemático a aquel universo feroz era absolutamente lógico; no había contra él otro antídoto que el de un amor igualmente apasionado y delirante.

Se dijo que Nadiezdha encarnaba como nadie aquella estremecedora paradoja y la miró a los ojos, pero ella rehuyó sostenerle la mirada, como siempre que estaba ante terceros, y se volvió de cara al paisaje. Él siguió mirándola directamente a la nuca para provocarla y tomarse una venganza mínima contra aquel pretendido desinterés, pues desde su llegada al aeropuerto de Irkust sabía que a ella le gustaba mirarlo y en cambio no soportaba que él la mirara. Le fascinó aquel juego secreto en el que por primera vez se había decidido a tomar la iniciativa, con Tolia y Chachai presentes y al mismo tiempo ajenos a todo en el asiento trasero, él mirando a mansalva el pelo platinado de Nadiezdha, su cuello de garza, sus orejitas pequeñas y desnudas, y ella tensa, pretendiendo que nada sucedía, mordisqueándose las uñas, suspirando a ratos, quizá sufriendo incluso, emitiendo en todo caso una electricidad que él podía sentir a flor de piel. Hubo un momento en que estuvo a punto de ceder a lo que intuía como un ruego callado de parte de Nadiezdha, pero no le salió del alma renunciar a su ventaja y siguió provocándola hasta que ella no pudo más y murmuró: «Por favor, por favor», como si por primera vez se hubiese dado por vencida. Entonces él abandonó el acoso, entre satisfecho y avergonzado, y se relajó dejándose zarandear libremente por los peligrosos barquinazos que daba el Niva, pese a las cadenas que aseguraban sus neumáticos, al desplazarse por aquella carreterita quebrada como lo había estado la voz de Nadiezdha al rogarle. Hacía rato ya que habían dejado atrás la vía del ferrocarril en construcción, ahora se desplazaban junto a un enorme río cuya superficie congelada semejaba una cinta de plomo bajo el sol indeciso. «Es Angará, el llanto del viejo Baikal», suspiró Nadiezdha con voz todavía temblorosa, y sin decidirse a mirar a Bárbaro empezó a contar una fábula en la que Baikal, el lago más profundo de la tierra, aparecía como padre de trescientos treinta y seis varones y de una sola hembra, la impetuosa Angará, que un día se enamoró del joven Ártico e intentó escaparse en pos de su amado. Loco de rabia, el viejo Baikal la había ahogado en sus aguas y desde entonces lloraba sin cesar lágrimas de hielo. No sabía que Angará era feliz porque la muerte la había hecho libre y el amor le daba fuerzas para renacer cada primavera y correr hasta fundir sus aguas con las del remoto Ártico.

Al terminar la fábula, Nadiezdha se sonó la nariz para no denunciarse, pero Bárbaro comprendió que estaba sollozando en silencio y tuvo que reprimir unos intensos deseos de enjugarle las lágrimas y besarla. Miró la helada superficie del Angará, que esta vez le pareció una ilimitada cinta de plata, se preguntó por qué Nadiezdha sufriría tanto y se sintió capaz de cualquier sacrificio con tal de hacerla feliz. Sin embargo, apenas media hora más tarde, cuando por fin arribaron a la maderera de Ust Ilimsk y estuvieron frente a la comitiva de recepción, ella adoptó de inmediato el tono rígido, casi militar que a él le irritaba tanto, y una distancia helada volvió a interponerse entre ambos. Después de las presentaciones y del brindis de rigor, hechos a pie de obra, tomó la palabra Boris Nicolaevich Krespin, el director de la planta, un economista todavía joven, alto, fortachón, teatral e hiperkinético, que llevaba la soberbia siberiana en la masa de la sangre. La maderera de Ust Ilimsk, dijo Boris y Nadiezdha tradujo, contaba con la reserva de materia prima más grande del mundo, los bosques de la inagotable taigá. Boris abrió los brazos, afirmó que sólo el gran Dios de los rusos sería capaz de abarcar tantos árboles, informó que la planta procesadora en construcción era también la más grande del universo, y afirmó que cuando el ramal de Baikal-Amur que los conectaría con el mundo estuviese terminado, Rusia inundaría a Occidente de buena madera siberiana. Desde el principio mismo de la filípica de Boris, Nadiezdha había abandonado el tono rígido y traducía de manera enfática, más emocionada aún que el propio Boris por el discurso que éste continuaba, imparable, afirmando que la obra en construcción era tan grande que no podrían visitarla en una mañana, ni en un día, ni en un mes, ni en un año. Haría falta toda una vida para ver la gran planta de Ust Ilimsk, dijo, y abrazó la niebla como un oso incapaz de enlazarse las garras, intentando demostrar gráficamente que resultaba imposible abarcar de una vez la planta. Bárbaro siguió con la mirada el arco de los brazos de Nadiezdha, que llegó al ridículo de imitar el gesto de Boris y tradujo después sus conclusiones sin pestañear siquiera. Los periodistas, dijo, eran por definición superficiales y nunca disponían de tiempo para los trabajadores, por lo que no le quedaba otra alternativa que hacer una visita a vuelo de pájaro.

Bárbaro se sintió doblemente insultado, por la falta de respeto de Boris y por el mimetismo de Nadiezdha, que ahora subía al Niva tras aquel alardoso y lo apremiaba a subir también a él. Lo hizo de mala gana. Chachai arrancó el auto y Boris empezó a guiarlo por las grises callejas de la planta, tan grande como un pueblo, mientras soltaba de memoria una retahíla de cifras que Na-

diezdha traducía como una alumna insoportable. A
Bárbaro no le interesaban en absoluto aquellos números
y porcentajes fríos como la propia Siberia; hubiera deseado entrevistar a solas a algún trabajador o ver al menos
algo más de la maderera, pero le resultaba imposible
hacerlo. No hablaba ruso, y tras los densos paredones
de niebla que el Niva atravesaba lentamente, con las luces encendidas, sólo se divisaban sombras de almace-
nes gigantescos y de maquinarias enormes a medio
montar. Al final del recorrido Boris le preguntó si estaba satisfecho y Bárbaro cometió la imprudencia de
responderle que sólo a medias, pues le hubiese gustado
ver algo más de la maderera. Entonces Boris le dijo que
podría verla completa si tenía valor suficiente como
para acompañarlo hasta el cielo, y señaló dos escalas de
gato, situadas a cuatro metros de distancia una de la
otra, que se elevaban verticalmente hasta perderse de
vista en las alturas. Tolia dijo algo, entusiasmado, Bárbaro comprendió enseguida de qué se trataba, maldijo a
Tolia y estuvo a punto de negarse en redondo a intentar
siquiera la locura de subir una de aquellas escalas. Pero
Nadiezdha le tradujo el reto de Boris y Tolia desde el
corazón, como lo hacía siempre que debía cumplir un
deber semejante, poniéndolo en el disparadero de aceptarlo o de quedar a la vista de los demás como un flojo
absolutamente indigno de ella y de Siberia. Bárbaro ya
sabía que los siberianos se relacionaban así, retándose
como renos a quienes les encantaba pujar hasta partirse
la cornamenta en medio de la nieve, porque no sabían
hacerlo de otra manera. Pero él no era siberiano, simplemente, y cuando volvió a mirar aquellas escalas que
parecían hechas para subir al cielo como las escaleras
de una canción mexicana que le encantaba al General,

le temblaron las piernas. Sin embargo, no tenía otra alternativa que intentar la escalada. Nadiezdha estaba en plan jugadora de póquer y él no podía darle el gusto de rajarse, entre otras cosas porque estaba convencido de que Tolia subiría con las cámaras a cuestas. Sintió que odiaba a Nadiezdha, que la ternura acumulada durante el viaje había desaparecido de su corazón, que solamente la necesitaba para llevársela a la cama. Pero incluso ese objetivo lo condenaba a comportarse ante ella como lo hubiesen hecho en su caso Changó o el General, demostrándole que con un cubano no se jugaba, que a un negro se le respetaba, que él, Bárbaro, sobrino de Lucinda e hijo predilecto de Santa Bárbara, era capaz de cualquier cosa con tal de tenerla. Envalentonado por el recuerdo de sus dioses se dirigió a Boris, a Tolia y sobre todo a Nadiezdha, les dijo *Da* y echó a caminar sintiéndose feliz por haber sido capaz de decir que sí en ruso, pero en cuanto llegó al pie de la primera escala, miró hacia arriba y comprobó que los hierros se perdían entre nubes de niebla, sintió que un escalofrío lo paralizaba.

Nadiezdha se quedó atrás, observándolo, Boris y Tolia llegaron al pie de la segunda escala, se despidieron con grandes ademanes y empezaron a subir sin esperarlo. Chachai se mantuvo equidistante de ambas escalas acariciándose los largos bigotes lacios; era evidente que aquel asunto no iba con él y Bárbaro sintió envidia de la calma de aquel buriato que jamás se dejaba enredar en retos de rusos. Hubiera deseado imitarlo, explicar, por ejemplo, que aquella ascensión era un sinsentido, algo totalmente innecesario para su reportaje, y quedarse abajo tan campante. O mejor no explicar nada, como Chachai, que ahora asistía a la ascensión de Boris y Tolia con una sonrisa en los ojillos negros y rasgados. Pero él se debía a Nadiezdha, se volvió a mirarla, y de pronto ella avanzó hasta la primera escala y empezó a subir con la habilidad de una gata. Bárbaro no fue capaz de definir si lo había hecho para humillarlo, para responder al reto de Boris y Tolia o simplemente para divertirse al estúpido modo siberiano; sin embargo, le quedó clarísimo que lo había dejado sin excusa para quedarse en tierra, se encomendó a Santa Bárbara y empezó a subir tras ella. Al principio escaló rápidamente, pero en cuanto se separó unos diez metros de la tierra comprendió que su corpulencia hacía balancear la escala de modo harto peligroso para el equilibrio. Atemperó el paso, miró hacia abajo y sufrió el primer mareo. Lo peor era la verticalidad de aquella escala helada, la súbita conciencia de que un traspié, un resbalón o un nuevo mareo podían precipitarlo hacia la tierra y chao, chao Bambina. Su miedo iba en aumento en la medida en que ascendía porque el viento era cada vez más intenso, la escala menos segura, los guantes siberianos más indóciles, el abrigo mongol más pesado, y sus piernas, sus brazos y su corazón temblaban con más fuerza. Se detuvo y se abrazó a la escala para acompasar la respiración. Miró hacia la derecha, vio las sombras de Boris y de Tolia subiendo entre nubes de niebla por la escala contigua y supuso que ya estaban a punto de culminar la subida, mientras que a él le quedaba por subir un tramo al menos dos veces más largo que el que ya había vencido. Miró hacia arriba, vio a Nadiezdha perdida entre las nubes y reinició la escalada tras su sombra. Decenas de pasos después cometió el error de mirar hacia abajo, sufrió un mareo y se aferró a los tubos de la escala como a un ardiente clavo helado.

¿Cómo explicarle a Nadiezdha que padecía de vértigo, que se estaba jugando la vida por ella, que ya había hecho bastante? Nada, se dijo, no le explicaría nada, regresaría a tierra y punto.

Descendió un escalón y comprendió de pronto que si regresaba sin haber alcanzado la cúspide no podría volver a mirar a Nadiezdha a los ojos. Le pareció una renuncia demasiado grande y decidió ganarse el derecho a mirarla aun al precio de seguir arriesgándose. Pero no tuvo valor para moverse hasta que se encomendó a Changó, prometiéndole que si lo protegía al subir y le permitía bajar sano y salvo besaría en su honor la tierra siberiana. En eso, un doble grito de victoria llegó desde lo alto, comprendió de inmediato que Boris y Tolia habían culminado la escalada y reemprendió la subida empeñosamente, como un mulo. No volvió a mirar hacia abajo, ni hacia arriba, ni hacia los lados, sino sólo hacia delante, con los sentidos concentrados en el punto donde debía poner el pie, cuidando todos y cada uno de sus pasos con la innata precisión de un mulo ante el abismo. No se inmutó siquiera al escuchar el grito de victoria de Nadiezdha, porque sabía que la suya, su victoria, consistía únicamente en llegar a la cumbre, mirarla a los ojos y decirle cuánto la odiaba. Ella no podría iniciar el descenso mientras él no llegara a la cúspide, de modo que su tarea no consistía en ser veloz, sino terco y paciente. No miró hacia la derecha ni siquiera cuando sintió que Boris y Tolia pasaban por su lado y le gritaban una frase que incluía la palabra *chorni*. La había escuchado tantas veces que conocía su significado, negro, pero ahora no debía pensar en ello, sino sólo en subir. Lo hacía tan lentamente y la escalada era tan larga que llegó a preguntarse si no estaría condenado a un intento sin fin. Se detuvo, presa de un nuevo golpe de desaliento, y en eso escuchó la voz de Nadiezdha informándole que le faltaba poco. Miró hacia arriba, la vio muy cerca, junto a la barandilla de la base circular que coronaba la escala, y experimentó una alegría tan intensa por haberlo conseguido que llegó a su altura en un santiamén, con la respiración agitada. La escala continuaba todavía unos tres metros hasta atornillarse a la plancha metálica del techo de la planta, pero la cúspide propiamente dicha era la base circular donde lo esperaba Nadiezdha, sostenida en unas columnas que también estaban atornilladas al techo. Para llegar a la base era preciso dar un paso lateral sobre el abismo y Nadiezdha le tendió la mano con la intención de ayudarlo. Pero Bárbaro prefirió desairarla, se aferró a la barandilla, salvó el vacío, alcanzó la base y cantó victoria dirigiéndole una intensa mirada de odio. Ella bajó la cabeza, intentó decir algo, renunció a hacerlo y emprendió el regreso dejándolo solo entre las nubes.

Bárbaro bajó poco después, con tanta lentitud y cuidado como había subido; al pisar el suelo experimentó un júbilo tan extraordinario por saberse vivo que sin pensarlo dos veces se puso a gatas y besó la tierra de la planta en construcción. Luego se incorporó lentamente y se negó a responder las preguntas de Tolia y Boris sobre si aquella era una típica ceremonia cubana. Si ellos practicaban sin explicación sus extrañas costumbres él no tenía por qué explicar su fe. Durante el frugal almuerzo que tomaron a continuación en el comedor de los jefes de la planta su negativa dio lugar a un animado diálogo, entrecortado por frecuentes carcajadas de Tolia y Boris, que Nadiezdha se negó a traducirle pretendiendo que no tenía importancia. Bárbaro intuía la razón de aquella actitud, Tolia y Boris se estaban burlando de sus costumbres de *nierús* y de *chorni* y eso provocaba una intensa confusión de sentimientos en Nadiezdha. En su condición de intérprete y guía ella era una especie de puente entre dos mundos, y aparecía ante ambas partes como responsable de una situación que con frecuencia la desbordaba. Ya anteriormente se había negado a traducirle a Bárbaro expresiones, comentarios e incluso parrafadas de algunos interlocutores que invariablemente provocaban risas en los otros, como pasaba ahora. Él había llegado a entender que aquellos silencios de Nadiezdha ocultaban chistes o comentarios racistas, pero no había logrado convencerla de que también en Cuba ese tipo de bromas eran frecuentes, de que desgraciadamente estaba acostumbrado a escucharlas e incluso a reírse de ellas. Nadiezdha callaba, se dijo mirando cómo las mejillas se le arrebolaban de vergüenza ante una nueva carcajada de Tolia, porque era una personalidad tan intensa e ingenua que no conseguía distanciarse de lo que debía traducir, más bien solía hacerlo suyo como si fuese una actriz espontánea, y aunque probablemente participara también de los prejuicios raciales de los otros, se resistía a formularlos frente a él por una especie de delicadeza innata que contrastaba intensamente con su natural brusquedad de siberiana.

Después del almuerzo se subieron en el todoterreno y se dirigieron al Angará, en cuyo cauce helado los esperaba la avioneta de la maderera donde volarían a la aldea Kirovski, situada junto a la montaña en la que se horadaba el primero de los Grandes Túneles del Noreste que el Baikal-Amur debía atravesar. Boris le propinó un abrazo de oso al pie del aparato, le dijo que era un valiente, y Bárbaro pensó replicarle que en cambio él era un estúpido y que la escalada había sido inútil, pues la niebla le había impedido a Tolia tomar ni siquiera una vista aérea de la planta. No lo hizo. Nadiezdha se habría disgustado muchísimo y sabría Dios qué habría traducido. Se limitó a agradecerle formalmente a Boris sus atenciones y se despidió de Chachai, que los esperaría la noche siguiente con el todoterreno en el campamento volante de Urgal, diciéndole que le encantaba su modo de distanciarse de los rusos. Nadiezdha tradujo con una mezcla de sorpresa e indignación contenidas y Chachai sonrió afectuosamente por toda respuesta, con la extraña calma que Bárbaro había admirado siempre en los chinos cubanos. Le hubiera encantado quedarse hablando con él en lugar de montar en aquella avioneta tan endeble, que en lugar de ruedas llevaba esquís para poder maniobrar sobre el hielo. Pero el piloto los invitó a subir, Nadiezdha y Tolia lo hicieron de inmediato y él no tuvo otro remedio que seguirlos.

Por suerte el aparato tenía capacidad para ocho pasajeros, y eso le dio la oportunidad de sentarse aparte y escudarse tras la mentira de que no soportaba conversar mientras estaba en el aire, lo que en realidad le permitía tragarse el miedo sin rechistar, como lo hacía de niño, cuando Remberto, con el cinturón en la mano, lo obligaba a tomar cucharadas de aceite de hígado de bacalao para que creciera fuerte y saludable. Ésa era otra, se dijo cuando los motores entraron en acción y el aparato se deslizó por la plateada superficie del río y levantó el vuelo, había tenido que tragar tantas cucharadas de miedo en los traslados entre campamentos porque Siberia era un lugar desmesurado, mil veces más grande que México, veinte mil veces más grande que

España, cien mil veces más grande que Cuba, y los aviones y avionetas que a menudo sustituían allí a ómnibus y automóviles lo habían hecho sufrir de un modo atroz, tanto, que poco a poco su miedo a volar se había ido convirtiendo en una espantosa rutina. Para encastillarse en el mutismo tras el que ocultaba sus temores se acostumbró a cerrar los ojos durante los vuelos pretendiendo que dormía, como volvió a hacerlo ahora, y consiguió apenas un sueño falso dentro de otro sueño falso como una matriochka dentro de otra y todas con la cara de Nadiezdha mirando a través de la neblina, mientras él la espiaba con el rabillo del ojo, el inagotable océano de la taigá, mares y mares y mares de coníferas de un verde profundo, casi negro, escarchadas como en una navidad delirante, que cuando los vuelos tenían lugar en dirección norte aparecían completamente cubiertas por la nieve. Verdiblanca o simplemente blanca, la taigá se mostraba siempre majestuosa y solitaria, como un territorio tan dilatado que podía sobrevolarse a lo largo de miles y miles de kilómetros sin divisar una ciudad, un pueblito, una aldea, una triste torre de iglesia que la humanizara.

La sobrecogedora soledad de aquel bosque infinito era el verdadero símbolo de Siberia, se dijo, y tranquilizado por la estabilidad del vuelo se atrevió a mirar abiertamente por la ventanilla mientras evocaba la sorpresa recibida cuando arribó al primero de los campamentos volantes. Como en otros tantos lugares de aquel continente enigmático, allí nunca habían visto un extranjero, mucho menos un negro, y luego de escudriñarlo con la vista hasta el límite del insulto los miembros del equipo de dirección decidieron celebrar la fiesta que habían preparado en su honor. Para él fiesta era sinónimo de música y baile y llegó a albergar la ilusión de que quizá podría aprovechar aquélla para unir su mejilla con la de Nadiezdha, una ilusión que evocó ahora burlándose de su ingenuidad de entonces. Porque aquella fiesta siberiana tuvo lugar al aire libre en un calvero del bosque nevado, y consistió en beber vodka a pico de botella, enterrar un cubo repleto de papas sin pelar, hacer encima una hoguera, achicharrar en sus llamas salchichas y arenques e ir comiendo y bebiendo mientras cada uno daba vueltas frente al fuego alrededor de sí mismo para que no se le congelara el pecho ni la espalda. Sorprendido y desalentado por la extraña ceremonia, Bárbaro le soltó a bocajarro a Nadiezdha que aquello era un horror y ella le espetó como una bofetada, con la soberbia que le brotaba del alma cuando él se atrevía a criticar su mundo, que así eran las fiestas en Siberia y que si no le gustaban podía volverse por donde había venido. Ahora, mientras miraba cómo la taigá se iba blanqueando en la medida en que avanzaban hacia el noreste, él evocó con una mezcla de ternura y rechazo el fin de fiesta, los rescoldos del fuego, las largas sombras del bosque siberiano y el bronco sabor de la cáscara de las ardientes papas asadas.

Miró a Nadiezdha, que dormía con la cabeza ladeada, inerme como una niña, y sonrió al recordar que entonces ella se había empeñado en nombrar a las pobres papas con una palabra tan cómica que parecía pronunciada por un tartamudo, patatas, en sostener que aquella era la manera correcta de designarlas en español, e incluso en negar que fueran originarias de América, ya que como todo el mundo sabía, exclamó con la lengua algo enredada por el exceso de alcohol, las patatas eran de origen ruso. Bárbaro se había irritado entonces hasta el extremo de no volver a hablarle en el resto de la noche, pero ahora sonrió con cierta condescendencia. El duro castellano de Nadiezdha, que al principio le hería los oídos, había terminado por resultarle simpático de tan exótico; cuando ella decía «vosotros habéis» o usaba el «os», él se partía de la risa como si estuviera ante un sainete y ella se molestaba un montón y le reprochaba su incapacidad para pronunciar la ce y la zeta. Aquellos mínimos desencuentros tuvieron la virtud de acercarlos; gracias a ellos ganaron cierta confianza, y Bárbaro concibió la esperanza de que Nadiezdha suavizara el plan de visitas que había elaborado desestimando el que él envió desde La Habana, y dándole de ese modo una prueba de que también había cesado de desear que él regresara a Irkust y aun a Cuba. No fue así, ella mantuvo a rajatabla el durísimo programa de los campamentos volantes e incluso la visita a la temible tundra, un territorio nocturno, azul de tan helado, que el aparato empezó a sobrevolar ahora para asombro y horror de Bárbaro. El panorama iluminado por la pálida luz de la luna era bellísimo, inmóvil como un infinito cementerio de hielo situado en el mismo centro de la nada, y él volvió a cerrar los ojos temeroso de congelarse con sólo mirarlo. Pensó en reconocer su derrota ante Nadiezdha y pedir el regreso inmediato, pero fue consciente de que ahora esa decisión no podría evitarle el descender y exponerse a la intemperie de aquel lugar diabólico.

El miedo lo paralizó hasta el extremo de alelarlo, como si sufriera una suerte de lenta pesadilla helada en la que se sumió durante largo rato y de la que apenas emergió cuando la avioneta empezó a estremecerse por

el descenso. Escuchó las risas excitadas de Tolia y Nadiezdha, comprobó que el muy cabrón se había sentado
junto a ella, y se dijo que en unos minutos tendría que
afrontar el juicio de aquellos dos sobre su miedo. Poco
después los esquís de la avioneta se deslizaron como na-
vajas sobre la superficie de un lago helado, el aparato
se detuvo, aunque los motores siguieron funcionando
en baja, y el piloto salió de la cabina y dio unas instrucciones. Nadiezdha le tradujo que ellos bajarían allí y
que Tolia acompañaría al piloto hasta el hangar de invierno. Aliviado por tener un testigo menos, Bárbaro se
sobrevistió cuidadosamente, pero aun así Nadiezdha
consideró prudente revisar el resultado botón a botón,
como solía hacerlo en los primeros días en los campamentos volantes. No se ahorró uno, ni siquiera los
de la portañuela, que revisó de rodillas frente a él, con
toda naturalidad, haciéndolo sudar de vergüenza al
sentir aquellas manos trajinándolo a la altura del bajo
vientre como si fuera un niño o un inútil. Nadiezdha
no estuvo satisfecha hasta conseguir que cada botón
casara con su ojal; luego le clavó la chabka hasta
las cejas, le cubrió la nariz con la bufanda, hizo otro
tanto con su propia indumentaria y meneó la cabeza.
Entonces el piloto abrió la portezuela de cuya base salieron tres escalones que se congelaron enseguida y
Bárbaro no tuvo más remedio que salir a la noche nór-
dica. Resistió el impacto anestesiado por la sensación
de irrealidad que le produjo el desplazarse lentamente por aquel valle sobrecogedoramente bello, rodeado por inmensas montañas nevadas que refulgían
bajo una luna de platino. Había descubierto de improviso la plenitud del norte, la intensísima, casi irresisti-
ble tentación de permanecer inmóvil para siempre en

medio de aquel silencio tan conmovedor como la más extraordinaria sinfonía. Pero Nadiezdha lo arrancó de la tranquila exaltación, del júbilo callado, arrastrándolo hacia la troika que los esperaba al borde del lago mientras le decía al oído que debían moverse, que aquella belleza podía matar, que era muy peligroso sucumbir a su magia, sin caer en la cuenta de que él ya había sucumbido, de que justo en ese momento estaba empezando a soltar las primeras ataduras de sus múltiples nudos y de que aquella inesperada sensación de calma perpetua, tan parecida a la muerte, le estaba dando la fuerza y la locura suficientes como para entregársele. Subieron a la troika en cuyo asiento había una gruesa pelliza que ella colocó frente a los dos a modo de pantalla para cortar el viento helado, creando así, quizá sin pretenderlo, un nuevo espacio mágico cuya fuerza se acrecentó todavía cuando la troika empezó a desplazarse tirada por tres caballitos mongoles, peludos, poderosos, capaces de correr a través el campo nevado generando un delicioso torbellino blanco. Bárbaro se dejó ganar por la exaltación de la libertad, miró de frente los grandes ojos azules de Nadiezdha en el espacio de cálida intimidad creado tras la pelliza y le dijo, «Te quiero». Ella le sostuvo la mirada, se bajó la bufanda hasta la barbilla, liberó también los labios de Bárbaro y empezó a besarlo con tal intensidad que consiguió el milagro de crear una llamarada de calor en medio de la helada.

¡Oh, Dios!, ¿por qué tuvieron que llegar alguna vez a aquella maldita aldea?, se preguntó él cuando bajaron de la troika, sensible al súbito cambio de actitud que se produjo en Nadiezdha. Intentó volver a besarla, dando por hecho que aquél era ya terreno ganado, pero ella lo contuvo, lo apartó sin miramientos y se persignó antes de dirigirse a la isba de paredes de grandes troncos e inclinadísimo techo a dos aguas cubierto de nieve, situada en el centro de la aldea, frente a una humilde iglesita ortodoxa también tapada por la nieve, hacia la que ella había mirado al persignarse. Por suerte, en el salón de la isba había una espléndida chimenea encendida; por desgracia, también había gente. Y Nadiezdha entró con una fría actitud de intérprete que distanció aún más a Bárbaro, ubicándolo automáticamente en el papel del invitado de honor obligado a sonreír a los anfitriones que lo esperaban alrededor de una gran mesa de madera sin pulir y que se incorporaron inmediatamente para saludarlo. Él quiso recuperar terreno ayudando a Nadiezdha a quitarse el abrigo, pero ella le hurtó el cuerpo dejándolo con las manos al aire; algunos de los presentes soltaron la carcajada y él se sintió como un imbécil y no tuvo otro remedio que proceder a quitarse el pesadísimo abrigo mongol, los chanclos, la chabka, la bufanda y los guantes, liberándose así de un peso insoportable antes de dedicarse a dar vueltas sobre sí mismo frente a la chimenea como en cualquier estúpida fiesta siberiana. Nadiezdha giraba junto a él, aunque en sentido contrario, como si bailaran una extraña danza al son del crepitar del fuego cuyas llamas rojizas se reflejaban en los ojos azules de la muchacha; pero en ninguna de las cinco oportunidades en que pasaron uno frente al otro ella se dignó a mirarlo de frente pese a que él lo procuró con insistencia. Necesitaba más que nunca su apoyo porque entre sus anfitriones ya se había extendido el característico murmullo de sorpresa que les provocaba a los siberianos el encontrarse de buenas a primeras ante un negro.

Al final de la quinta vuelta Nadiezdha se detuvo, él la imitó y ella asumió su papel de intérprete en la presentación ritual de Igor, el Ingeniero Jefe del tramo norte de la obra, un tipo con dos dientes de oro, fortísimo y exultante, que sorprendió a Bárbaro plantándole un beso en los labios sin que él pudiera hacer absolutamente nada para evitarlo. Sintió que Igor apestaba a vodka, la sangre se le agolpó en la cara, y empezó a limpiarse la boca con la manga de la chaqueta mientras aquel tipo lo conducía a la presidencia de la mesa, cubierta por un mantel primorosamente bordado a mano y repleta de manjares rusos y de botellas de vino y vodka. Igor se sentó junto a Bárbaro y Nadiezdha y volvió a incorporarse enseguida para soltar un discurso que todos escucharon con gran contento menos el propio Bárbaro, que lo hizo con una sonrisa tonta porque no entendió ni una sola palabra de aquella filípica hasta que Nadiezdha, que había ido tomando notas como una alumna aplicada mientras Igor hablaba, se la tradujo con su habitual profesionalidad. Todos, le dijo ella que había dicho Igor, estaban felicísimos, orgullosísimos y honradísimos de recibir por primera vez a un extranjero. Nunca antes los había visitado ninguno, por lo que constituía un inmenso honor recibir al que iniciaba la lista, que además tenía las virtudes de ser occidental y periodista, por lo cual, con sus escritos, haría famosa en todo el mundo a Siberia, el continente más grande del planeta, la tierra con mayores reservas de agua, madera, petróleo, oro y minerales estratégicos en todo el universo. ¿Qué le faltaba a Siberia?, había preguntado Igor en aquel punto, mirando inquisitivamente a Bárbaro como volvió a hacerlo Nadiezdha al traducir: transporte, vías de comunicación que le permitieran exportar sus inmensas riquezas, y eso era justamente lo que estaban haciendo ellos, los heroicos constructores del ferrocarril que uniría el lago Baikal con el río Amur a través de miles y miles y miles y miles de kilómetros de hielos perpetuos, para lo que era imprescindible además abrir los túneles más largos de la tierra horadando las bases congeladas de las montañas más grandes del mundo, y levantar los puentes más altos del universo sobre los ríos más caudalosos de la historia.

Nadiezdha precisó que había sido justamente después de aquellas palabras cuando se produjo el aplauso al que incluso Bárbaro se había sumado, aun sin entenderlas. En ese momento hicieron su entrada Tolia y el piloto, e Igor aprovechó para echarse al coleto dos generosos tragos de vodka mientras ellos se despojaban de los abrigos e iniciaban el ritual de girar frente al fuego. Después de las presentaciones los recién llegados ocuparon un lugar de honor en la mesa, frente a Bárbaro y Nadiezdha, e Igor reinició su perorata. No, nunca antes habían tenido un extranjero allí, en aquella remota aldea de Siberia Oriental donde se estaba decidiendo el destino del mundo, tradujo Nadiezdha, pero no obstante él, Igor Mijailovich Kuzmin, sabía cómo tratarlos, porque había trabajado durante unos años en otros lugares de Asia, y allá, cuando invitaban a cenar a un extranjero, tenían la exquisita cortesía de hacerlo presidir el banquete nombrándolo Tamadán. Inmediatamente después de pronunciar aquel ábrete sésamo Igor procedió a nombrarlo Tamadán y le extendió ceremoniosamente el Cuerno de Oro, un objeto precioso, con la boca rodeada por una brillante cenefa de oro, la superficie labrada, laqueada y pintada en rojo y negro con delicadísimos motivos asiáticos y el fondo largo, curvo y puntiagudo, sellado por un casquillo de oro tan penetrante como una daga. Bárbaro recibió agradecido aquel objeto precioso, lo exhibió con orgullo ante los otros creyendo que se trataba de un regalo, y sólo después, cuando Nadiezdha le tradujo la parte correspondiente del discurso de Igor, comprendió que le habían tendido una trampa y que no tenía más remedio que meterse en ella hasta las cejas. El Tamadán tenía el honor de presidir la fiesta, le dijo Nadiezdha que había dicho Igor, y precisamente por eso tenía también el privilegio y la obligación de beber exclusivamente en el Cuerno de Oro, que como Bárbaro podía ver, subrayó acariciando la finísima punta del casquillo dorado que remataba el Cuerno, no tenía culo donde sostenerse, de modo que el Tamadán estaba obligado a empinárselo siempre hasta el fondo, a apurar cada vez hasta la última gota el contenido del Cuerno de Oro, porque de no hacerlo así, al depositar el Cuerno sobre la mesa el vodka no consumido se volcaría sobre aquel mantel bordado a mano por las abuelas de la aldea, manchándolo, y eso constituiría una ofensa intolerable para sus anfitriones. Bárbaro emitió una media sonrisa como señal de que había entendido y aceptado aquel privilegio cortante como el fondo del Cuerno, Igor soltó la carcajada mostrando con orgullo los dientes de oro y Tolia propuso un brindis en honor del Tamadán negro, al que todos se unieron entusiasmados, alzando sus copas. Bárbaro levantó por primera vez el Cuerno de Oro, e Igor procedió a rellenarlo hasta los topes mientras Tolia establecía una divisa que Nadiezdha asumió como propia y tradujo palabra por palabra, con un provocador retintín de orgullo.

—Para un siberiano, cuarenta grados bajo cero no es frío; un vodka de cuarenta grados no es una bebida alcohólica, cuatrocientos rublos no es dinero y cuatro mil kilómetros no son distancia.

Bárbaro quedó boquiabierto. Los demás aplaudieron entusiasmados, chocaron copas, bebieron a discreción, se quedaron mirándolo, y él no tuvo más remedio que empinarse el Cuerno del Tamadán hasta las heces mientras pensaba cómo responder a aquel alarde que le había pinchado el orgullo como una banderilla de fuego. No se le ocurrió nada, propuso un brindis convencional y volvió a beber incómodo consigo mismo, dispuesto a demostrarles a aquellos tipos, cuando se le ocurriera cómo, hasta dónde podía llegar un cubano hijo de Changó y de Santa Bárbara. En eso, unas camareras con el pelo cubierto por pañuelos grises sirvieron el primer plato, una sopa que Nadiezdha llamó börsh y que Bárbaro empezó a tomar complacido del sabor y de poder refugiarse en sí mismo durante un rato. Su tranquilidad no duró mucho, entre Igor y el piloto de una parte, y Tolia, Nadiezdha y los demás comensales de otra, se generó un diálogo que muy pronto alcanzó temperatura de discusión y que evidentemente tenía que ver con él. Lo señalaban sin recato mientras gritaban, hasta que Tolia se mesó la rala barbita rubia y se decidió a hacerle la pregunta cuya posible respuesta había dividido al grupo en bandos irreconciliables. ¿Era verdad lo que afirmaban Igor y el piloto, tradujo Nadiezdha, que en La Habana todos los edificios eran distintos entre sí y que algunos tenían incluso piscinas en las azoteas? Bárbaro tomó una cucharada de börsh y se hizo repetir la pregunta, que no estaba seguro de haber entendido correctamente. La segunda vez comprendió, en todos los pueblos y aun en las pocas ciudades por las que había pasado fugazmente en Siberia, como Irkust,

Brastk o Ulán Udé, los edificios eran exactamente iguales entre sí, con rarísimas excepciones que confirmaban la regla, y aquellos campesinos de la nieve no podían concebir la diversidad arquitectónica de una joya con tres siglos de civilización como La Habana. Estaba paseando la vista por los rostros pendientes de su respuesta cuando Igor puso cinco rublos sobre la mesa, Tolia subió la parada poniendo diez, el piloto resubió con veinte y en un abrir y cerrar de ojos hubo un montón de billetes viejos y arrugados junto a la fuente de börsh. Incapaz de dominar su tensión Igor encendió un cigarrillo, un prajo asqueroso que los siberianos llamaba papiroschka. Entonces Bárbaro se dio el gustazo de prender un popular, aspiró el humo recordando la prepotencia del brindis de Tolia, miró tranquilamente sus ojillos brillantes de codicia y respondió en ruso, como una dulce venganza, «*Da*».

«¡*Niet!*», exclamó Tolia, pasándose la mano por la calva incipiente y sudorosa mientras el piloto e Igor se guardaban los rublos. Los demás perdedores protestaron ruidosamente, la atmósfera del salón se tensó sobremanera y Nadiezdha le rogó a Bárbaro que explicara cómo era La Habana, para calmar los ánimos. Él volvió a fumar, y se tomó su tiempo antes de bajarles los humos a aquellos siberianos y dejarlos atónitos hablándoles de una ciudad de fábula, que poseía los castillos, fortalezas y palacios coloniales más extraordinarios del mundo, muestras de arquitectura *art nouveau*, *art déco* y fantásticos edificios y hoteles modernos con piscinas en las azoteas, una ciudad llena de parques y paseos colmados de árboles siempre verdes y de flores rojas, violetas, amarillas, blancas, magentas, una ciudad abalconada sobre un mar con siete distintos tonos de azul, en cuyas playas las gentes podían bañarse durante los trescientos sesenta y cinco días y festear durante las trescientos sesenta y cinco noches del año al son de sones, guajiras, habaneras, rumbas, congas, mambos, guarachas, chachachás y boleros, una ciudad, en fin, como no había otra en este mundo. Terminó emocionado, creyendo como en Dios en sus medias verdades, y tuvo tiempo todavía para disfrutar de la rendida admiración y del asombro infantil de aquella tribu iluminada por el fuego y por las palabras de Nadiezdha, que traducía como si narrara un cuento de *Las mil y una noches,* con la pasión de quien da fe de la existencia real del paraíso.

Inmediatamente después se hizo un silencio doloroso, como si la confirmación de la existencia de aquella ciudad paradisíaca hubiera fortalecido en los presentes la conciencia de habitar en el infierno. Incluso Igor, que había inventado la apuesta y ganado un montón de dinero con ella, quedó cabizbajo y propuso un brindis desvaído en honor a Siberia. Bárbaro se echó al pico el contenido íntegro del Cuerno de Oro con una mezcla de alegría y vergüenza por haberlos humillado de tal modo. Pero la venganza siberiana llegó pronto, cuando las camareras de pañuelos grises retiraron el börsh y sirvieron el plato fuerte, generosas lascas de pierna de cordero asada para todos menos para Bárbaro, que quedó atónito al ver brillar en el centro de su plato los ojos grandes, grises, tristes como lágrimas, de algún gran animal siberiano. Estupefacto, escuchó a Igor proclamar, traducido por Nadiezdha, que sorber aquel manjar digno de dioses era un privilegio especial reservado al Tamadán en ciertas tribus sabias del Cáucaso Central, cuyos ancianos y sacerdotes aseveraban que quienes sorbiesen los ojos de los animales sagrados ad-

quirirían su fuerza, su resistencia y su capacidad para
ver mucho más lejos que los simples seres humanos; en
Siberia los animales sagrados eran el tigre y el oso, por
eso le ofrecía solemnemente al invitado los ojos de un
oso, para que heredara su fiereza, su fuerza y su capacidad de lucha contra la adversidad. Bárbaro miró los
melancólicos ojos del animal, estuvo a punto de echarse
a llorar y se sintió hundido al comprobar que todos lo
miraban expectantes. Tolia lo invitó con un gesto gran-
dilocuente y burlón a que cumpliera con su deber de
Tamadán y sorbiera el manjar. Él se volvió hacia
Nadiezdha como un náufrago en su tercera y última salida al mundo de los vivos. «No te los comas, dijo ella,
ésa no es una costumbre siberiana.» Él se sintió renacer
cuando comprendió que Nadiezdha no había convertido en reto aquella suerte de broma asiática. Pero Tolia
no cesaba de provocarlo, aumentando la excitación
de la tribu, y él se preguntó cómo salir dignamente de
aquel trance y en eso le vino a la cabeza un refrán que
solía repetirle su madre: «Compró cabeza y le cogió
miedo a los ojos». Eso era exactamente lo que le estaba
pasando, sólo que él no había comprado aquella cabeza. Tuvo una inspiración, se puso de pie y dijo que
agradecía muchísimo el honor, pero que por desgracia
no podía honrarlo. Su religión era muy estricta y le
prohibía absolutamente comer cabeza o partes de cabezas de animales. Nadiezdha tradujo con convicción y
vehemencia sus razones, todos se rindieron de inmediato ante la fuerza sagrada del tabú, y él tuvo otra inspiración y le devolvió a Igor la pelota alargándole el
plato y rogándole que ocupara el lugar del Tamadán.
    Igor se sorbió los ojos del oso de una sentada provo-
cando el aplauso cerrado de la tribu y la repugnancia, el

alivio y la secreta envidia de Bárbaro, que llegó a preguntarse si los hechiceros asiáticos no tendrían razón. Entonces Tolia propuso un brindis por el valor de los siberianos y la cena empezó a desmadrarse. Bárbaro se vio obligado a vaciar varias veces el Cuerno de Oro, compitiendo con sus anfitriones en trasegar comida y alcohol como un condenado. Llegó a encabronarse ante la sucesión de brindis, convencido de que Tolia, Igor, el piloto, los restantes anfitriones e incluso la propia Nadiezdha actuaban como cómplices al hacerlo beber por Siberia, por el ferrocarril Baikal-Amur y por la llegada de la primavera, seguros de que en cualquier momento él se rajaría como un leño seco. Pero el vodka y el cabreo lo hicieron sentirse más cubano que nunca, y el orgullo le permitió empeñarse a fondo en no darles ese gusto; aquellos comemierdas que a cada rato se referían a él con la palabra *chorni* estaban total, completa, absolutamente equivocados si se creían capaces de liquidarlo. Llegó a sentirse tan violento que de pronto asumió su autoridad de Tamadán, impuso sucesivos brindis en honor a Lucinda, al General, a Domitila e incluso a Remberto, y se partió de la risa escuchando a los siberianos enredarse como verdaderos estúpidos cuando intentaban pronunciar aquellos nombres tan sencillos, hasta que tuvo la impresión de que el alcohol le había hecho efecto también a Nadiezdha, que de pronto rompió a cantar. Él no entendía un carajo de la letra y sin embargo se sintió sobrecogido por el aire de aquella canción tan triste como el invierno o como los ojos azules de la muchacha, que en ese instante volvieron por fin a mirarlo.

Tuvo la convicción de que ella cantaba para él, la súbita certeza de que aquella expresión dulcificada por la música era la otra cara de Siberia, y cuando comprendió que ella había terminado se descubrió cantando una vieja canción de amor. «La luz que en tus ojos arde», suspiró mirando a Nadiezdha con tanta pasión como si sólo cantara para ella, «Si los abres amanece», musitó convencido de que aquellos ojos tenían efectivamente el poder de disipar las sombras, «Cuando los cierras parece», pero también el de traerlas, se dijo al llegar el final, «Que va muriendo la tarde». En ese mismo momento Nadiezdha dejó de mirarlo, porque Igor, que estaba esperando como un gato montés a que él terminara, convocó inmediatamente la atención general al sacar una balalaika sabría Dios de dónde y atacar con bronca voz de bajo una especie de himno al que todos se sumaron enseguida, cantando y batiendo palmas al ritmo inicialmente lento y nostálgico de la música. Bárbaro fue el único que quedó fuera de aquella comunión y al principio se sintió tristísimo y dolido, creyendo que la complicidad siberiana había vuelto a producirse con la única intención de excluirlo, pero después de los primeros compases Nadiezdha lo animó a que batiera palmas y se sumara al suave balanceo con el que todos participaban de la fiesta; él obedeció, captando enseguida la lentísima aceleración del ritmo de las palmas, y poco a poco se fue sintiendo parte de aquel universo pese a no ser capaz de entender nada de aquella canción salvo la palabra *taigí* que todos cantaban al final de las estrofas, alargándola hasta donde les alcanzaba la respiración como si así pudieran medirse con la inabarcable taigá, obsesión principal de aquel himno de amor a la naturaleza siberiana; se dejó llevar por el suave balanceo que fue acelerando poco a poco su cadencia al ritmo de las palmas y de la balalaika de Igor hasta llegar a convertirse en el vals que le permitió rozar con la mejilla los claros cabellos de Nadiezdha y que siguió ganando velocidad y se hizo un torbellino tan intenso que de pronto le provocó un mareo fortísimo, acompañado de una incontenible necesidad de vomitar.

Salió disparado hacia el exterior, sintió el brutal golpetazo del frío como una patada en el pecho y apenas había alcanzado a devolver sobre la nieve cuando Nadiezdha lo arrastró de vuelta al salón y lo puso ante la chimenea colmándolo de improperios. ¡Tonto, tonto y más que tonto! ¡Cubano, negro y tonto! ¿Cuándo aprendería que no estaban en Occidente sino en Siberia? ¡En la tierra del hielo, donde cualquier imbécil que se atreviera a salir desabrigado a la intemperie moriría sin remedio! ¿Y qué iba a hacer ella si él se le moría? ¡Él estaba a su cuidado! ¡Y no tenía la más mínima gracia cuidar de un tonto cubano, de un negro tonto! ¿Cómo se sentía? Bien, de verdad, respondió Bárbaro con la cabeza fresca por el fugaz contacto con el frío, el estómago aligerado por el vómito y el corazón latiéndole a tope ante la espontánea reacción de Nadiezdha, que le tocó la frente con tanta preocupación como ternura. ¡Dios, qué linda era! ¡Cómo le sudaban las manos de ansiedad por él! Y además tenía toda la razón, salir a la intemperie sin abrigo había sido un descomunal disparate. Por suerte, el calor que llevaba dentro le permitió aguantar el impacto, de modo que al final había salido ganando. Cuando regresó a la mesa el himno había concluido, sus anfitriones tenían un aspecto verdaderamente lamentable y en cambio él estaba tan despejado que pudo darse el lujo de mediar de vodka el Cuerno de Oro, levantarlo y proponer un brindis a la salud de Nadiezdha Shalámov González, su salvadora. Algunos siberianos no pudieron siquiera seguirlo, pero Igor, Tolia y el piloto sí lo hicieron, aunque a duras penas. Entonces Bárbaro se volvió hacia Nadiezdha y le preguntó por el origen de su segundo apellido, aquel González que había escuchado por única vez a su arribo al aeropuerto de Irkust y que al brindar, casi inconscientemente, le subió a los labios desde el fondo de la memoria.

—Mi madre se llamaba Angustias González —dijo ella—, era española.

En eso, Tolia rompió a llorar proclamando algo a voz en cuello, con lo que sustrajo la atención de Nadiezdha. Bárbaro maldijo a aquel payaso que le impedía saber cómo Angustias González había terminado pariendo a una siberiana; pero no pudo hacer nada por reconducir la situación. Tolia le rogó a Nadiezdha que tradujera sus palabras y siguió hablando entre sollozos. Lloraba, dijo ella que decía Tolia, porque había incumplido una promesa hecha a San Nicolás; al pronunciar el nombre del santo Tolia se puso de pie con la dificultad de un borracho, rellenó de vodka el Cuerno del Tamadán, se lo extendió a Bárbaro, rellenó también su propio vaso y el de Nadiezdha, e invitó a todos los presentes a brindar por el Santo Patrón de todas las Rusias. Bárbaro resultó súbitamente conmovido por la trágica expresión del afilado rostro de Tolia y por la inesperada dimensión mística que de repente había cobrado aquel brindis, levantó bien alto el Cuerno de Oro, se lo bebió de una sentada, comprobó que el vomitar había renovado sus fuerzas y se dispuso a seguir escuchando la tragedia que Tolia recomenzó a contar y Nadiezdha a traducir con tanta intensidad como si ella misma hubiese incumplido la sagrada promesa que Tolia dijo haberle hecho a San Nicolás: atravesar la taigá en pleno invierno, de sur a norte, con su cuchillo y su fe de siberiano ortodoxo como únicas armas. Pero no había podido, tradujo ella con una mezcla de piedad y acusación en la voz, no había sido capaz de cumplir con el santo, las fuerzas lo habían abandonado después de caminar setecientas once vertsas, cuando todavía le faltaba mucho para llegar a la meta, y por eso era justo que sintiera vergüenza e implorara públicamente perdón.

Bárbaro tuvo la certeza de haber asistido al final de un juicio inapelable y se removió incómodo en la silla. También él había hecho una promesa a los dioses; si no lograba cumplirla, ¿podría buscar al menos el consuelo de rajarse en llanto ante amigos y desconocidos, proponer un brindis en honor a Changó y a Santa Bárbara y revelar que nunca había entrado en una hembra, que les había prometido a sus dioses hacerlo en Siberia, que había incumplido y que por ello sentía vergüenza e imploraba perdón? No, nunca jamás podría acudir a la insólita mezcla de misticismo, locura, coraje e impudor que le había permitido a Tolia abrirse el pecho de aquella manera tan rotundamente siberiana. En un caso semejante él se habría encastillado en el silencio, en la simulación, en la mentira y en última instancia en el suicidio. No era hijo de San Nicolás, sino de Changó, y prefería la muerte al desprestigio. Por eso le molestó tanto que Tolia, después de haberlo conmovido hasta los huesos, se secara las lágrimas y tuviera el descaro no sólo de sonreír como un iluminado a quien la confesión le hubiese permitido expiar sus culpas, sino también el de proponer dos nuevos brindis; uno en honor a Siberia y otro en honor a la Santa Madre Rusia. A partir de aquel momento Bárbaro tuvo para sí que Tolia estaba empeñado en retarlo, y se echó al pico por dos veces el contenido íntegro del Cuerno de Oro. La última había sido el revulsivo que se le subió a la cabeza impulsándolo a asumir de nuevo su condición de Tamadán y a imponer tres brindis sucesivos en honor a Cuba. Casi todos le aguantaron el primero, sólo algunos pudieron con el segundo y después del tercero apenas sobrevivieron a la escabechina Tolia, Igor, Nadiezdha, un par de siberianos del montón y él mismo. Aquel penúltimo trago de la noche fue la puntilla, llegó a pensar que debía detenerse en ese punto, pero la certeza de que llevaba ventaja porque había vomitado, sumada a su renovada borrachera, le impidieron advertir sus límites y lo animaron a rellenar hasta los topes el Cuerno del Tamadán e imponer un cuarto brindis en honor a la Isla. Estaba decidido a darle la última vuelta a la tortilla, liquidar a Igor, humillar a Tolia e impresionar a Nadiezdha, a quien le pidió antes de brindar que tradujera una sentencia que se le acababa de ocurrir en medio de la curda y que le parecía gloriosa.

—¡Para un cubano —exclamó elevando bien alto el Cuerno de Oro con mano temblorosa—, cincuenta grados sobre cero no es calor; un ron de cincuenta grados no es una bebida alcohólica; quinientos pesos no es dinero y cinco mil kilómetros no son distancia!

Pese a que había bebido como una verdadera siberiana, Nadiezdha también había salido al exterior, lo que quizá la ayudó a seguir cumpliendo lentamente con su deber de intérprete y con el de informarle a Bárbaro, después de haber intercambiado con gran dificultad un par de frases con Tolia e Igor, que ni el fotógrafo ni el Ingeniero Jefe ni ella misma aceptaban el brindis porque Cuba no tenía cinco mil kilómetros de largo. A Bárbaro le costó muchísimo entender aquella requisitoria, de tan pastosa como Nadiezdha tenía la lengua. Igor dejó caer la cabeza sobre el pecho, totalmente vencido, pero Tolia y Nadiezdha lo miraron desafiantes, con los rostros sudorosos y los ojos enturbiados por el alcohol. Él empezó a sudar frío y pensó que haría bien en darles la razón y a otra cosa mariposa; pero un resto de lucidez o de locura le dijo que no podía echarse atrás, pasara lo que pasara. Tenía que rematar a Tolia, vencer a Nadiezdha y volver a besarla cuando ella no pudiera oponerse. La mano le temblaba tanto que se vio obligado a apoyar el antebrazo en el borde de la mesa para que no se le volcara el Cuerno de Oro, y la lengua se le enredó al intentar concederles y a la vez negarles la razón a aquellos dos borrachos. Cierto que Cuba no tenía cinco mil kilómetros de largo, alcanzó a decir; en eso Tolia se derrengó sobre la mesa y él lo miró con desprecio, le dijo: «Jódete, siberiano», y siguió explicándole a Nadiezdha que justamente por eso era imposible recorrerlos de una punta a la otra de la isla, así que para un cubano no eran distancia. Satisfecho con aquella lógica que le pareció impecable, intentó beberse de una sentada el contenido del Cuerno del Tamadán para obligarla a beber también a ella y así hundirla del todo y poder besarla. Pero las fuerzas lo abandonaron de pronto y sólo consiguió murmurar «Perdona, chica, perdona», mientras veía cómo el Cuerno se le resbalaba entre los dedos y el vodka se volcaba en el mantel formando un charquito sobre el que cayó de golpe su cabeza.

FUEGO

L e dijo adiós a Nadiezdha y salió a la calle con tanto entusiasmo que se habría echado a correr si el gran manto de nieve que tenía delante se lo hubiese permitido, pero desplazarse sobre la superficie esponjosa que cubría las aceras y callejas del poblado de Primariosvkoye era un ejercicio de brava disciplina y se dedicó a cumplirlo junto a Tolia lenta y tenazmente, aunque por primera vez lo hizo con alegría. El ciclo de los campamentos volantes había concluido y ahora estaban en uno fijo y paraban en el Cosmos, un albergue de tres plantas que si bien no llegaba a la categoría de hotel, al menos se le parecía; tenía buena calefacción y Bárbaro y Nadiezdha disponían de cuartitos individuales aceptablemente limpios, pero los servicios sanitarios eran colectivos y no había ducha; en cambio, además del modestísimo restorán había un saloncito llamado pomposamente buffet donde se podía tomar vodka o té, comer embutidos, fumar y sobre todo conversar sin límites. Habían arribado al Cosmos la tarde anterior, y después de la cena Tolia y Chachai subieron de inmediato a la habitación que compartían, mientras que Bárbaro y Nadiezdha estuvieron hablando en el buffet casi hasta el amanecer sin sacudirse siquiera el cansancio del viaje. Y ahora, mientras superaba el primer cruce de calles de los cuatro que había en el poblado, Bárbaro se dijo que su relación con Nadiezdha se iba pareciendo peligrosamente a la paradójica adivinanza que tanto lo había intrigado en su infancia: mientras más cerca más lejos, mientras más lejos más cerca.

No reparó en que la nieve había sido barrida de la acera a la que arribó en aquel momento y empezó a resbalar sobre la capa de hielo maldiciendo su suerte. Tolia soltó la carcajada y el recuerdo de Nadiezdha se instaló en el hombro de Bárbaro advirtiéndole que debía tener más cuidado, que podía partirse un hueso, que Siberia era siempre peligrosa. Al fin consiguió detenerse apoyándose en una pared, miró a Tolia de reojo, y mientras bajaba a la calle cubierta de nieve esponjosa, incómoda y segura decidió ahorrar la memoria de la conversación sostenida con Nadiezdha en el buffet del Cosmos. Ella tenía razón, Siberia era siempre peligrosa, tanto, que convenía cuidar incluso los recuerdos, y los correspondientes a aquel diálogo eran demasiado preciosos como para compartirlos con el esfuerzo de caminar por la nieve. Después de todo, tenía otros motivos de alegría, el primero de los cuales era la inminente llegada de la primavera. No había querido creer la buena nueva cuando Nadiezdha se la comunicó el día anterior, durante la visita a la construcción del primer Gran Puente del

Noroeste, porque los siberianos se pasaban la vida, que allí equivalía al invierno, deseando el arribo de la primavera con tanta intensidad que llegaban a ver visiones, exactamente como quienes, perdidos en el desierto, creían ver agua en el horizonte. Pero ella no estaba viendo visiones, protestó Nadiezdha, sino el desperezarse de un stlánik, fenómeno que anunciaba con anticipación la inminente y segura llegada de la primavera, dijo, y le indicó un cedro boreal acostado en la nieve que en ese mismo instante empezaba a levantar sus enormes ramas e iba desdoblando lenta y majestuosamente su tronco hasta quedar erguido como una escultura verde y naranja en medio del campo blanco. Bárbaro quedó pasmado ante el milagro que Tolia no cesaba de fotografiar; Nadiezdha empezó a dar saltos de alegría, Chachai vino hacia él, lo abrazó sonriendo, y Bárbaro sintió que quería muchísimo a aquel amarillo bajito, servicial, reservado y sabio como los chinos de Cuba, que era un crimen no habérselo dicho nunca, y lo agarró por los hombros y le dijo: «Te quiero un montón, Chino». Chachai no lo entendió y ambos se volvieron hacia Nadiezdha, que tenía un brillo renovado en los ojos y tradujo la frase sin dejar de saltar como una niña. Chachai se hizo repetir la traducción, dijo algo, rojo de ira, e inmediatamente escupió en la nieve y le dio la espalda a Bárbaro, que quedó estupefacto. «Dice que lo has ofendido —tradujo Nadiezdha—, que le has dicho Chino.»

Probablemente por eso, pensó Bárbaro, Chachai se había negado en redondo a acompañarlo a los baños públicos de Primariosvkoye hacia los que él se dirigía ahora junto a Tolia. ¡Qué hipersensibilidad, Dios! ¿Por qué le molestaba tanto que le dijeran chino si tenía la piel amarilla, el pelo lacio y los ojos rasgados? A raíz del incidente había intentado convencerlo de aquella verdad elemental, pero Chachai se puso farruco y no le dejó otra alternativa que seguir el consejo de Nadiezdha y pedirle excusas. No obstante, él tenía para sí que el muy cabezón las había aceptado de mala gana, lo que era una lástima, desde luego. Exhaló una nubecilla de humo azul al suspirar, miró la nieve que cubría el poblado y pensó que de no ser porque todos creían en el desperezarse del stlánik como en Dios mismo, nadie podría creer que la primavera llegaría pronto. Ojalá, se dijo, con la esperanza de que el inminente cambio de tiempo calentara la sangre de Nadiezdha hasta hacerla estallar aquella misma noche. En todo caso, él iba a estar preparado para recibirla. ¡Al fin iba a bañarse, Dios!, pensó mirando el maletín donde cargaba la ropa limpia, y la inminencia del acontecimiento le dio fuerzas para avanzar. Al fin iba a tomar una ducha que en ese momento se prometió larga, minuciosa, intensa y delicada, como una especie de resumen de todos los baños que había tomado a lo largo de su vida. Hubiera querido contarle sus intenciones a Tolia mientras se dirigían hacia los baños públicos, pero como no disponía de un idioma que le permitiera comunicarse con su colega continuó imaginando en silencio el gozo sin igual del que disfrutaría apenas unos minutos más tarde. ¡Oh, no, no había sobre la tierra placer comparable al de bañarse y cambiarse de ropas! Durante su infancia, Domitila acostumbraba a bañarlo en el patiecito de la mísera covacha de la calle Maloja, y Bárbaro evocó ahora, mientras se frotaba con el guante la nariz helada, aquellas remotísimas ceremonias que su madre y él convertían en verdaderas fiestas. Ella llenaba de agua tibia una gran palangana blanca, de peltre, la ponía al sol en el centro del patiecito, metía a Bárbaro en el agua y lo frotaba de pe a pa cantándole al oído una rumbita lenta y cadenciosa, la misma que él repitió ahora para ayudarse a avanzar sobre la nieve: «Oye, colega, no te asustes cuando veas al alacrán tumbando caña; costumbres de mi país, mi hermano».

Luego de aquel ritual hecho de agua, jabón, masajes, caricias y canciones, Domitila lo secaba minuciosamente, le entalcaba los huevitos, lo rociaba con agua de lavanda y lo vestía con ropas recién lavadas y planchadas. Aquellas fiestas duraron años, hasta que Remberto decidió que Bárbaro estaba muy zangaletón para que Domitila siguiera frotándole el pito y las nalgas y lo obligó a bañarse solo. Él estaba tan acostumbrado a los masajes de su madre que se negó a bañarse en absoluto, pero la propia Domitila lo convenció de que un negro podía ser cualquier cosa en este mundo, menos sucio, y muy rápidamente Bárbaro les cogió el gusto a los largos baños que al fin empezó a darse bajo el espléndido sol que iluminaba el patiecito de la covacha, mientras su madre le suministraba cubos y cubos de agua tibia. También ahora había un sol brillante en Primariosvkoye; un sol que sin embargo, y a diferencia del que calentaba La Habana, parecía enfriar Siberia. Nadiezdha le había explicado aquel desconcertante fenómeno atmosférico de acuerdo al cual los días más fríos eran justamente aquellos que seguían a las nevadas más intensas, cuando el sol aparecía brillante y el cielo era de un azul nítido y helado. Bárbaro concluyó que los efectos del sol eran un fenómeno relativo, como también lo era el decursar del tiempo; el baño, en cambio, era un hecho absoluto: siempre y bajo cualesquiera circunstancias limpiaba los cuerpos y traía paz a los espíritus. Evocó las duchas faraónicas que había tomado en el apartamento del General y que solían durar horas y horas, hasta que las palmas rosadas de sus manos quedaban arrugaditas como las de un viejo y su piel terminaba brillando como no lo haría jamás la de ningún blanco.

Al cruzar la segunda calleja miró en un acto reflejo a derecha e izquierda, leyó *Pectopah* en la fachada de un comercio y automáticamente buscó a Nadiezdha para que le tradujera. Pero esta vez ella no lo acompañaba. Los baños públicos de Primariosvkoye podían ser utilizados por hombres o por mujeres en días alternos y hoy le tocaba a ellos, de modo que Bárbaro había tenido que conformarse con acudir en compañía de Tolia, con quien apenas podía cruzar siete palabras: *Da* (Sí); *Niet* (No); *Spasiva* (Gracias); *Jarachó* (Bien); *Chorni* (Negro); *Dabai* (Vamos), y por último y sobre todo la genial *Pashalsta,* que técnicamente significaba por favor, pero que en realidad, según le había explicado Nadiezdha, era un comodín, un ábrete sésamo capaz de adquirir significados distintos según la entonación que se le diera y, en el caso de Bárbaro, también de acuerdo con los gestos con que la acompañara al pronunciarla. Nadiezdha le explicó que había añadido aquella última aclaración porque, según su criterio, él se movía demasiado al hablar. En cambio, a Bárbaro le parecía que tanto ella como los demás siberianos eran en extremo rígidos. Solían caminar en silencio, algo inclinados hacia delante, con la cabeza gacha, las mandíbulas apretadas y las manos enlazadas en la espalda, como si la severidad del clima y el peso de las ropas les hubieran contraído los músculos y el espíritu. Esa contradicción cotidiana, sin embargo, era muy engañosa; una buena ración de vodka podía acabar súbitamente con ella liberando pasiones extraordinarias que de buenas a primeras convertían a aquellas gentes de natural reservado en verdaderos prodigios de expansividad y sentimentalismo, como le había ocurrido a Tolia en la isba principal de aquella aldea situada al pie del primero de los Grandes Túneles del Noreste.

El joven Tolia era un viejo creyente, le había contado Nadiezdha a Bárbaro el día después de aquella descomunal borrachera, para explicarle las razones profundas de la crisis de misticismo sufrida entonces por el fotógrafo. Bárbaro se desconcertó ante la paradoja y ella procedió a contarle que se les llamaba viejos creyentes a los miembros de una fracción de la iglesia ortodoxa deportada a Siberia en la época del zar Pedro el Grande como castigo por haberse negado a aceptar ciertos cambios introducidos en el ritual religioso. Por suerte los viejos creyentes eran tan tercos como lo serían años y años después los prisioneros políticos, añadió Nadiezdha con una sonrisa de orgullo e inteligencia, y gracias a esa terquedad sus descendientes seguían actuando hoy como lo habían hecho sus choznos, de acuerdo con las reglas del antiguo rito. Nadiezdha había hablado sin ocultar su admiración, dejando claro que los viejos creyentes ocupaban un lugar clave en su altar siberiano. Bárbaro había experimentado entonces un feroz ramalazo de celos contra Tolia, y lo sintió reverdecer ahora, mientras caminaba en silencio por la calle principal del pueblito, algo inclinado hacia delante, con la cabeza gacha, las mandíbulas apretadas y las manos enlazadas en la espalda. Una cuadra después Tolia le indicó la entrada del gran edificio de los baños y le cedió el paso. Él se dirigió hacia allí sin darle siquiera las gracias, cuidándose de no resbalar sobre la capa de hielo formada bajo el alero, y al fin entró a una estancia bastante oscura, parecida a la recepción de un hotelucho de quinta clase. Tras el enrejado que protegía una especie de taquilla estaba la empleada, una gorda de mofletes rosados a quien Tolia extendió un arrugadísimo billete de tres rublos y cinco brillantes monedas de diez copeks. Bárbaro contempló la operación mientras disfrutaba del calor de la estancia, se despojaba de los guantes y calculaba mecánicamente el monto de la entrega, pero sólo cuando la gorda le extendió a Tolia dos entradas pequeñas, como de cine de barrio, cayó en la cuenta de que aquél era el precio del baño y de que él no había hecho el más mínimo esfuerzo por pagar. Pero aquella distracción no había sido culpa suya, se dijo, simplemente no le cabía en la cabeza que fuese necesario pagar por bañarse. ¡Era como hacerlo por respirar! Se encogió de hombros porque ya no había remedio; por una parte, Tolia, buen siberiano, no aceptaría su dinero; por la otra, él no estaba dispuesto por nada de este mundo a amargarse aquella ducha, la primera que podría darse el lujo de tomar después de haber pasado semanas sin hacerlo, metido en la terrible rueca de los campamentos volantes.

Tolia guardó las entradas en el bolsillo del abrigo, dijo «*Dabai*» e hizo un breve gesto con la cabeza. Bárbaro lo precedió con cierta ansiedad, empujó una puerta situada a un costado de la recepción y accedió a un cuarto rectangular, caliente y apestoso, donde unos diez hombres estaban empezando a quitarse las ropas. Frente a las paredes formadas por troncos de alerce había largos bancos de madera; en un extremo se apilaba una tonga de ramas de eucaliptus partidas en trozos, cuyo profundo olor a campo abierto aliviaba en algo la peste del lugar; debajo de los bancos había varias filas de botas; arriba, en las paredes, decenas y decenas de abrigos de piel de oveja y de hatillos colgados de cornamentas de renos que hacían las veces de ganchos. Al quitarse el abrigo y dejarlo en una cornamenta libre, Bárbaro experimentó un gran alivio en los hombros, respiró asqueado su propia peste y se dijo que también él estaba hecho un reno. Se sentó en un banco, se quitó botas y calcetines, volvió a sentir el alivio de la desnudez y la opresión de la peste y se felicitó de que su madre no pudiera verlo en aquel estado. ¿Cómo había podido resistir tanto tiempo sin ducharse? Por toda respuesta se dijo que enseguida iba a hacerlo y sólo entonces cayó en la cuenta de que no tenía toalla, ni chancletas, ni siquiera palabras para pedirlas. Terminó de desnudarse ensimismado, sin abandonar el banco, pensando que dentro, en el salón de duchas, le darían toalla y jabón porque para eso Tolia había pagado por los dos. Pero aun así tendría que bañarse sin chancletas y esa idea no le gustaba en absoluto; sabía demasiado bien que las duchas colectivas eran las madres de los hongos. Sin embargo no había nada que hacer, ya Tolia estaba desnudo frente a él, tendiéndole un trozo de rama de eucaliptus y diciéndole «*Dabai*».

Bárbaro tomó la rama sin saber por qué ni para qué, pero no se decidió a pararse; miraba los flacos, blanquisucios pies de Tolia y le daba reparo pisar donde él. ¿Qué hacer si cogía hongos siberianos, para los que no tenía anticuerpos? Miró sus botas sucísimas, pesadas, húmedas, desechó la idea de ponérselas e ir con ellas hasta las duchas, levantó la cabeza, se fijó en Tolia y tuvo que hacer un esfuerzo para no echarse a reír: desnudo, despojado de toda la parafernalia invernal, el tipo era tan pálido que las venas se le transparentaban bajo la piel como para una clase de anatomía. «*Dabai*», volvió a decir Tolia, y señaló con su rama de eucaliptus una puerta situada en el extremo opuesto del recinto, por la que en ese momento salía un hombre, dejando entrever, en el salón contiguo, una especie de niebla formada por el vapor. Bárbaro pensó en chorros de agua caliente, se puso de pie y de inmediato se vio rodeado por tres hombres desnudos que lo miraban con tanto asombro como si su misma existencia constituyera un imposible. Dos eran gemelos, achaparrados, y estaban pelados al rape; el tercero era gordo como un tonel y llevaba grandes bigotes hirsutos, de pelo rojinegro; todos tenían ramas de eucaliptus en las manos y anclas azules tatuadas en los antebrazos. «*¿Pashalsta?*», les preguntó él, esmerándose en pronunciar claramente su ábrete sésamo. Los tipos parecieron entenderlo, intercambiaron un par de frases como para ponerse de acuerdo, el gordo bigotudo soltó una parrafada y el trío quedó a la expectativa. Bárbaro, que no había entendido un carajo, comprendió que su *pashalsta* acababa de jugarle una mala pasada. Aquellos tipos estaban convencidos de que él hablaba ruso y esperaban una respuesta que no tenía cómo coño darles; se volvió hacia Tolia en busca de ayuda y de pronto comprendió que era inútil. Sólo Nadiezdha podía ayudarlo y no estaba allí. Los gemelos le dirigieron una pregunta al unísono y él sobreentendió sus intenciones y perdió la paciencia, «¡*Da*, soy *chorni* como el carbón! ¿Qué coño pasa?», exclamó. Pero esta vez ninguno pareció entender su ruspañol. El gordo de bigotes rojinegros inspiró profundamente, pasó las yemas de los dedos por el antebrazo de Bárbaro, se las miró y las mostró a los otros meneando la cabeza, como si no diera crédito a no haberse manchado. «¡*Da*, soy *chorni*, pero mil veces más limpio que ustedes! *¿Jarachó?*», les espetó él entonces, alzando mucho la voz y agitándoles en la cara la rama de eucaliptus. «*Dabai*», volvió a decir Tolia, como si quisiera terminar de una vez con aquella escena. Bárbaro lo siguió a través del salón, incómodo por pisar descalzo el mismo suelo que aquellos tipos, erizado al tener que darles la espalda y mostrarles las nalgas.

En cuanto entró a la estancia contigua vio decenas y decenas de sombras de hombres desnudos autoflagelándose con ramas de eucaliptus en medio de una densa niebla y tuvo la impresión de haber empezado a sufrir una pesadilla. Tolia, convertido también en una sombra difuminada tras las nubes de vapor, se sentó tranquilamente en un banco de madera y lo invitó a imitarlo con un gesto. Bárbaro aceptó con irrestañable aprensión; si por lo menos ya le hubiesen suministrado la toalla no se habría visto obligado a sentarse en aquella madera verdosa por la humedad. ¿Dónde estarían las duchas? Recorrió la estancia con la vista y concluyó que al menos en aquel salón enorme no había ninguna, sólo se veían sombras sentadas en los bancos, como ellos mismos, o azotándose con una pasión que se le antojó decididamente siberiana. El intenso calor lo había hecho empezar a sudar, los goterones que le caían desde la frente le nublaban los ojos, y aquel doble filtro de vapor y sudor que desdibujaba aún más los cuerpos de los flagelados lo hizo jugar con la idea de que se encontraba en realidad en el segundo círculo del infierno. El primero era la intemperie nevada que había afrontado hacía apenas unos minutos con la ilusión de llegar a un sitio decente donde poder bañarse; pero, ¿qué clase de baño era aquel en el que no había duchas, toallas ni jabones? La visión de las sombras lo llevó a recordar el momento en que Tolia se había autoinculpado por no haber sido capaz de atravesar la taigá, se dijo que la flagelación a la que asistía ahora era otra forma de autocastigo y se preguntó si no debería practicarla él también por no haber podido cumplir todavía con sus dioses. Ni loco, se dijo, Changó podía ser lujurioso, chulo, abusador, cobarde, mentiroso e incluso bisexual, como decía Lucinda, pero era sobre todo un gozador, jamás y nunca le exigiría a sus fieles que se autoflagelaran como lo hacía el malvado Dios de los cristianos.

Acarició la rama de eucaliptus que había dejado sobre los muslos, decidido a no pegarse con ella ni siquiera si Tolia lo retaba a hacerlo. En rigor, no había hecho nada de lo que debiera arrepentirse; su problema consistía justamente en eso, en no haber hecho algo. Ya le quedaba poco tiempo en Siberia, no había mujer con la que pudiera intentar cumplir su promesa, salvo Nadiezdha, y ella estaba cada vez más cerca y al mismo tiempo más lejos, como aquella inquietante adivinanza que él nunca había sido capaz de resolver. Esa paradoja estaba en la raíz del comportamiento reciente de Nadiezdha, quien ya no sólo se situaba lejos de él, sumándose a los retos que otros le dirigían y que él aceptaba siempre, como un estúpido, con tal de ganársela, sino también cerca, celándolo como una perra decidida a mantenerlo encerrado en un círculo que ninguna mujer, ni siquiera ella misma, podía traspasar. Aquella situación irritaba y halagaba a Bárbaro, que ahora se pasó la mano por las cejas empapadas en sudor, distinguió entre la niebla a los gemelos y al gordo de bigotes rojinegros, sentados en el banco de enfrente, y les dirigió una mirada jactanciosa. Ah, si tuviera palabras para decirles que aunque era negro, y quizá precisamente por serlo, Nadiezdha, la hembra más bella de Siberia, no le perdía pie ni pisada; si pudiera contarles lo que había pasado el día en que visitaron el tramo del Transiberiano donde Galina, la nariguda Jefa de Estación destinada a atenderlo, se sintió tan atraída por el color de su piel y por la textura de su pelo como se había sentido Nadiezdha tiempo atrás, en el aeropuerto de Irkust, o cómo se habían sentido ellos mismos en el cuarto de vestuario hacía apenas unos minutos.

La estación quedaba en medio de la estepa, una llanura nevada tan extensa que producía vértigo, tan solitaria que llamaba a la tristeza como un perro sin dueño. En aquella tierra del sin fin se alzaba la aldea de Sibirski Tselo, cuatro casas iguales en medio de la nada, una de las cuales era la estación, el mísero refugio donde Galina vivía pendiente del monótono ruido del telégrafo y del paso interminable del convoy. Supieran, siberianos, hubiera querido decirles Bárbaro al gordo y a los gemelos, quienes ahora le dirigían al unísono un saludo infantil desde el otro lado de la nube de vapor, que aquella visita a una aldea perdida por parte de un periodista extranjero, su intérprete, su fotógrafo y su chófer, había sido decidida por la remota jefatura regional del Transiberiano como un estímulo a la exactitud con que Galina gestionaba la monotonía desde hacía diez años. La mujer estaría ya en los treinta, vivía en la planta alta de la estación y trabajaba en la baja, donde los recibió vestida como para una ceremonia militar, con uniforme nuevo color azul de Prusia, galones dorados y gorra de plato. Tenía los ojos grandes y tristemente hermosos, de color ambarino, la nariz larga y roja como una zanahoria incrustada en medio del rostro, y estaba tensa con la visita, tan rígida y distante como si fuera en realidad una autómata. Pero en cuanto cayó en la cuenta de que él era negro empezó a rondarlo como una gata en celo. Nadiezdha no pudo soportar aquello y prevaliéndose de su condición de intérprete lo encerró en un círculo de mal humor. El acto en sí fue breve, pues una vez que Galina hubo informado que el Transiberiano recorría nueve mil trescientos cincuenta y cinco kilómetros y era el ferrocarril más largo de Siberia, de Rusia, de Europa, de Asia y del universo mundo, no tuvo, en verdad, mucho más que decir, si se exceptuaban ciertos detalles farragosos e irrelevantes sobre su trabajo. Nadiezdha los tradujo de muy mala gana, permitiéndose incluso algunas ironías sobre lo divertida que debía de ser aquella tarea. La merienda que tomaron posteriormente consistió en ensalada de verduras y zanahorias, dulce de arándanos y jugo de melocotón, todo un lujo para las modestas condiciones siberianas. Galina se esforzó en servirle personalmente a Bárbaro mientras le decía además un montón de cosas, pero Nadiezdha se hizo la tonta y no tradujo ni una palabra de aquellas zalamerías. Todo terminó pronto y el grupo compuesto por Tolia, Chachai, Nadiezdha y Bárbaro se dispuso a partir hacia un nuevo campamento volante, mas Galina tenía inscrita en los grandes ojos color ámbar toda la soledad de la estepa y no parecía dispuesta a dejar marchar a aquel extranjero que tanto la atraía, de modo que lo invitó a que la acompañara en su diversión preferida, construir un muñeco de nieve.

Bárbaro comparó el calor que sentía ahora, en el baño, con el frío que había sentido entonces, al abando-

nar el pequeño edificio de la estación y salir a la estepa
nevada. Ambas sensaciones quemaban, pero él prefería
decididamente el calor. Aunque justo por provenir del
trópico la idea de construir un muñeco de nieve lo había excitado tanto como la de recibir el más formidable
regalo de Navidad. Sin embargo, muy pronto se dio
cuenta de que sin comerla ni beberla estaba metido otra
vez en una competencia típicamente siberiana. A Nadiezdha no le había hecho ninguna gracia la idea de
quedarse, pero en cuanto él la aceptó entusiasmado y
salió a la estepa dispuesto a colaborar con Galina en la
construcción del muñeco, Nadiezdha se puso en plan
de reto y se dedicó a construir otro muñeco con la ayuda
de Tolia. Chachai, que había vuelto a unirse a ellos al regreso del Gran Túnel del Noreste, salió también, aunque
sin tomar partido, y se dispuso a contemplar la escena
con una media sonrisa iluminándole el rostro de buriato. Galina era una fiera manejando la nieve, y aunque
Bárbaro resultó ser algo torpe y Nadiezdha y Tolia muy
hábiles en el menester de darles forma a sus muñecos
respectivos, la Jefa de Estación se las ingenió para terminar la tarea antes que los otros y coronar un muñeco alto
y hermoso. Entonces se limpió con los dedos la roja nariz que recordaba una zanahoria, miró despectivamente
a Nadiezdha, abrazó a Bárbaro, lo besó en ambas mejillas y lanzó un rotundo grito de victoria. Feliz por haber
formado parte del equipo vencedor, él gritó también, le
devolvió los besos y abrazos a Galina, le sacó la lengua a
Nadiezdha y se plantó frente a su muñeco tan emocionado por el placer de haber contribuido a moldear aquella figura como solía estarlo hacía ya muchos años, cuando
disfrutaba en el excusado de la covacha de la calle Maloja
moldeando su propia mierda.

Nadiezdha y Tolia terminaron al fin su muñeco, que resultó ser una hembra de grandes tetas, sin ninguna gracia. Bárbaro evocó ahora ambas figuras, mientras jugaba con el charquito que su propio sudor había creado sobre el banco, se dijo que indiscutiblemente el muñeco levantado por Galina y por él había sido mucho más alto y hermoso que el construido por Tolia y Nadiezdha, y se preguntó si sería posible hacer un muñeco de nieve negro. No lo sería, reconoció con cierta tristeza, y se refugió en evocar el momento en que estaba admirando su muñeco y sintió una bola de fuego quemándole la espalda. Pegó un alarido, un respingo, y echó a correr en círculos intentando inútilmente escapar de la nieve que le bajaba por la columna vertebral ardiendo como fuego helado. Tolia y Chachai se echaron a reír y Nadiezdha fusiló a Galina con la vista. Pero la Jefa de Estación no se dio por enterada; se carcajeaba con cara de niña traviesa mirando correr a Bárbaro, hasta que de pronto lo detuvo tomándolo por los hombros, le dio la vuelta, le levantó el abrigo, el jersey, la camisa y la camiseta, metió ambas manos debajo y empezó a darle un intenso masaje en la espalda con el que consiguió diluir el aguanieve y hacerlo entrar en calor. No por ello dejó de masajearlo ante la mirada atónita de Nadiezdha, que de pronto echó a correr hacia la estación como si no pudiera resistir ni un minuto más aquella escena. Bárbaro tuvo la tentación de ir tras ella, pero justo en ese momento sintió que Galina lo retenía, le pegaba las grandes tetas a la espalda y empezaba a masajearle el pecho, y decidió permanecer allí, disfrutando y dejándose disfrutar frente a las figuras de nieve enmarcadas en la infinita soledad de la estepa.

Un cercano cruce de chasquidos lo sacó de la ensoñación, levantó la vista y vio frente a sí a la sombra del gordo de bigotes rojinegros azotándose como un poseído con una rama de eucaliptus. El tipo sudaba a chorros, se pegaba a más y mejor y cada latigazo le creaba zonas rojizas en el castigado pellejo de la espalda o de la inmensa barriga, tan llena de grasa que le caía como una cascada casi hasta las rodillas. A su lado, los gemelos se azotaban uno a otro, por turnos, con tanta sincronización como si constituyeran un perfecto juguete móvil; el primero daba la espalda, recibía el latigazo, emitía una profunda exclamación de dolor y gozo, se volteaba y ya tenía frente a él la espalda del segundo, que recibía a su vez el azote, soltaba un excitante sonido gutural en todo y por todo semejante al de su hermano, y se daba la vuelta con el látigo en alto, dispuesto a continuar aquella ceremonia sin fin. Bárbaro los siguió con la mirada, fascinado por el rítmico subir y bajar de las anclas azules que los gemelos tenían tatuadas en los antebrazos, y de pronto se le antojó que así, como la intensa expresión de placer que beatificaba aquellos rostros, debió de haber sido la suya mientras Galina le acariciaba los encrespados vellos del pecho frente a la pareja de muñecos de nieve levantados en la estepa. Aquel disfrute se troncó en asombro cuando Nadiezdha regresó corriendo desde la estación con una zanahoria en la mano, se plantó ante la muñeca que ella misma había construido y le clavó la zanahoria en mitad de la cara, convirtiéndola como por encanto en una perfecta caricatura de Galina. Fue un golpe tan sorpresivo y perfecto que él se echó a reír junto a Tolia y a Chachai, como volvió a hacerlo ahora al evocarlo. Galina dejó de acariciarlo en cuanto vio el detalle más humillante de su cuerpo destacándose a todo color en medio de aquel rostro de nieve, se rajó en llanto y regresó a la estación temblando como un pajarito. Nadiezdha estaba feliz y él le dirigió una sonrisa cómplice y se unió al grupo que partió sin despedirse en el todoterreno conducido por Chachai.

La carretera que conducía al nuevo campamento volante tenía el asfalto destrozado por las contracciones de la corteza terrestre, debidas a los bruscos cambios de temperatura, y también por el peso de los grandes camiones y por la fricción de las cadenas de sus neumáticos. Bárbaro, seguro de que Nadiezdha acababa de dirigirle un mensaje de amor, intentó aprovechar los saltos provocados por los múltiples baches y zanjas como excusa para acercársele y tocarla, pero ella le ordenó bruscamente que se estuviera quieto o cambiaría de asiento con Tolia, que iba de copiloto. Y ahora, mientras miraba a través de las nubes de vapor cómo los gemelos continuaban azotándose con la regularidad de un cronómetro, Bárbaro se dijo que había sido justamente en aquel viaje cuando entendió que Nadiezdha lo había encerrado en un círculo de fuego que ninguna mujer, ni siquiera ella misma, podía traspasar. Y quizá, pensó mientras el vapor lo ayudaba a evocar la sobrecogedora belleza de la niebla elevándose lentamente sobre la estepa nevada al atardecer, habían sido el mal cuerpo que le produjo la depresión de descubrirse a merced de los caprichos de Nadiezdha, los terribles barquinazos que pegaba Chachai y el consiguiente batuqueo de su cuerpo en el asiento trasero del Niva, los que le provocaron las intensas ganas de obrar que experimentó en cuanto arribaron al nuevo campamento volante. ¡Qué desagradable le había resultado entenderse con Nadiezdha al respecto, Dios! Por puro pudor rebuscó en el pozo de la memoria sinónimos o eufemismos con los que nombrar aquel acto tan natural como el de comer o el de respirar y al fin recordó cuatro. Lo hizo en el orden exacto en que se los había enseñado su madre, para quien nunca y bajo ninguna circunstancia un negro debía llamar por su nombre a aquella asquerosidad inevitable. Le preguntó a Nadiezdha dónde podía obrar allí, en Ust Ilk, y ella no lo entendió; dónde podía regir, y ella tampoco lo entendió; dónde podía hacer de vientre, y ella meneó la cabeza, desconcertada; dónde, por favor, podía ensuciar; y ella se quedó en Babia, preguntándole que ensuciar qué, y dejándolo sin otro remedio que rebajarse a preguntarle dónde demonios podía cagar.

Sintió que le tocaban el hombro, miró hacia su izquierda y vio a Tolia llamándolo, con la rama de eucaliptus en la mano derecha, dispuesto a ponerse de pie. No se movió, era obvio que el viejo creyente lo había retado a flagelarse, pero él se sentía sencillamente harto de tanta locura siberiana, decidido a no ceder esta vez bajo ningún concepto. Ya de pie, Tolia cerró los ojos con tanta unción como si se dispusiera a comenzar una ceremonia religiosa, y Bárbaro cedió a la tentación de examinarlo desnudo. Alto, delgado, de rubia barba rala y rostro tenso, Tolia no tenía una gota de grasa, y en la magra superficie de su cuerpo, tan blanco que parecía translúcido, las venas azules y los finos músculos se destacaban como un delicado y firme entramado de cables; concentrado en sí mismo, había cobrado la belleza de una estatua que de pronto empezó a recitar una suerte de letanía y se sonó sin transición el primer foetazo en la espalda. ¡Qué mundo de locos aquel donde los baños tenían vapor y látigos en vez de agua y jabón! Pero, ¿de qué extrañarse si apenas unos días atrás, después de haber dejado a Galina literalmente con un palmo de narices, cuando al llegar al nuevo campamento él le pidió ayuda a Nadiezdha para ir al servicio, ella le entregó un ejemplar del periódico *Konsomolskaya Pravda* y lo condujo a una absurda letrina levantada en medio de la nieve, donde nadie, nadie, nadie podría dar de cuerpo en paz? La idea de que se pudiese liberar el vientre a más de veinte grados bajo cero en aquel largo hueco sin calefacción, protegido apenas por unas míseras paredes, era tan radicalmente absurda que Bárbaro estuvo seguro de encontrarse frente a otro de los incontables retos siberianos. Pero aquél en particular no iba a aceptarlo de ninguna manera, pensó, decidido a mantenerse en sus trece y a reconocer de entrada su derrota para evitarse complicaciones. No podía, le dijo a Nadiezdha, mientras se calaba la cabka para protegerse del viento helado que había empezado a levantarse sobre la taigá, allí no podía; aceptaba ser un occidental, un flojo, aceptaba ser lo que ella quisiera y reconocía además la absoluta superioridad de los siberianos, pero le rogaba por favor que le indicara dónde quedaba el servicio de verdad; no estaba pidiendo lujos, se apresuró a aclarar al verla sonreír con lo que interpretó como un leve mohín de desprecio, le bastaba el periódico, por ejemplo, no necesitaba papel higiénico, sólo quería una cosa, que lo llevara al sitio donde los trabajadores del campamento hacían buenamente sus necesidades. «Es éste», dijo ella entonces, señalando la letrina con un ademán tan delicado que resultó sarcástico. Bárbaro comprendió casi con horror que aquella vez Nadiezdha no estaba bromeando ni retándolo siquiera, que le había dicho simplemente cómo eran las cosas allí y que él no tenía estómago para soportarlas. Pero tampoco tenía escapatoria, y la rabia de saberse prisionero en una cárcel de hielo lo llevó a soltar un juramento. «¡Siberia es el infierno!, ¿sabes? ¡El infierno!»

Ahora, en el baño, mientras miraba cómo Tolia, los gemelos y el gordo de bigote rojinegro se flagelaban con saña en medio de nubes de vapor, se reafirmó en aquella convicción, pero entonces, después de haberla soltado a bocajarro, cuando vio reflejada en la cara de Nadiezdha una mezcla inextricable de vergüenza, rencor y orgullo herido, sintió pánico de perder a aquella mujer e intentó abrazarla, dispuesto a pedirle perdón. Pero ella dio un paso atrás, lo dejó con los brazos extendidos y soltó una carcajada que a él entonces le pareció perversa, y que ahora, al evocarla, le sonó como absolutamente patética. Sin embargo, se dijo mientras intentaba inútilmente secar el sudor que le escocía los ojos, el significado literal de aquella risotada había sido el mismo entonces y ahora: «¡Jódete!». Era su propia interpretación la que variaba; entonces estaba aterrado ante la inminencia de tener que cagar a la intemperie, a más de veinte grados bajo cero, y la risa de Nadiezdha le pareció un abuso, un abandono, una maldad incalificable; ahora, sin embargo, comprendía que precisamente porque entonces tuvo razón, porque Siberia era un infierno, había dejado a Nadiezdha sin otra alternativa que aquella carcajada feroz. En efecto, él podía refugiarse al menos en su próximo regreso al eterno verano de Cuba; pero ella, ¿dónde sino en aquel humor ácido, irremediablemente siberiano, del que extrajo la lógica delirante del razonamiento que le expuso a continuación en un tono que resultó provocador de tan irónico?

Las famosas letrinas de los campamentos volantes de Siberia, le había explicado Nadiezdha cuando al fin dejó de reír, con la claridad y la calma de quien se dirige a un alumno especialmente modorro, disponían de tres comodidades que las hacían superiores por definición al más exquisito de los inodoros occidentales. La primera de estas comodidades era un palo para hundir la nieve, explicó parodiando el movimiento que describía, hasta encontrar un firme donde clavarlo y sostenerse durante la función. La segunda comodidad, dijo blandiendo un garrote imaginario, era otro palo. ¿Para qué servía ese otro palo? Hizo una pausa con el objetivo de crear la necesaria expectación, y después explicó con dulzura que aquel segundo palo servía para golpear a los lobos que venían del bosque a comerse a los cagones incautos. Bárbaro se echó a reír de puro nervio, pero Nadiezdha mantuvo la calma y la dulzura al explicarle que la tercera comodidad no era otra que un tercer palo, bueno para quebrar el mojón que a tantos grados bajo cero se iba congelando por tramos en cuanto conseguía empezar a salir a la intemperie; este último detalle de la congelación inmediata y por tramos, concluyó parodiando un amplísimo gesto de orgullo, convertía a Siberia en un sitio absolutamente excepcional: el único lugar del mundo donde la mierda no apestaba.

Nadiezdha pronunció la última frase con el énfasis de una bofetada, echó a caminar hundiéndose en la nieve y Bárbaro quedó solo frente a la letrina, con la vívida impresión de que al final de la requisitoria ella había sido incapaz de contener el llanto. ¡La había hecho llorar, Dios! Changó estaría feliz de semejante triunfo, pues el llanto de una hembra era la prueba de su fuerza, pero él quedó paralizado por la sorpresa y por el vacío que sintió de pronto en el corazón. Entre las brumas del recuerdo escuchó que lo llamaban, «*Dabai*», pero desgraciadamente aquella voz no pertenecía a Nadiezdha sino a Tolia, que ya había dejado de fustigarse. Levantó la cabeza y vio a tres desconocidos autoflagelándose en el lugar que antes habían ocupado los gemelos y el gordo. El baño, ¿habría terminado? Era increíble, porque se sentía casi tan asqueroso como al principio. «*Dabai*», volvió a apremiarlo Tolia mientras movía hacia sí la rama verde. Bárbaro se puso de pie, habría que irse, qué remedio, aunque no podía creer que el baño hubiese terminado y tampoco le hacía la más mínima gracia ponerse ropa limpia estando medio sucio. Empezó a seguir a Tolia y fue pasando frente a hombres tan extraños como pobladores de una pesadilla. Aquellos tipos que se azotaban apasionadamente entre la niebla lucían vistosos tatuajes, mujeres desnudas, pájaros en pleno vuelo, árboles floridos, soles brillantes de sudor; algunos tenían luengas barbas rasputinescas; otros estaban pelados absolutamente al rape, con los respectivos cueros cabelludos también tatuados; todos lo miraban con asombro al pasar y unos cuantos incluso lo seguían como si no pudieran dar crédito a sus ojos, murmurando, sin dejar de azotarse, «*Chorni, chorni, chorni*».

Aquello no podía ser verdad, se dijo, tenía que estar soñando; no soportaba que aquellos salvajes lo escudriñaran con la vista como si el salvaje fuera él; algunos, incluso, tenían el descaro de mirarle directamente al rabo, pero en el pecado llevaban la penitencia porque su rabo era tan hermoso como el resto de su cuerpo; sólo el frío o las mujeres podían derrotarlo y allí, por suerte, no había ni uno ni otras. Se sabía bello, y ya que no podía ocultarse de la vista de aquellos seres estrafalarios se escudó en pensar que al menos, además de asombro, les provocaría admiración o envidia. Tolia se detuvo delante de una puerta estrecha, pintada de rojo, y sólo en ese momento Bárbaro cayó en la cuenta de que habían estado caminando en dirección opuesta a la de la entrada; quizá, se dijo, en los baños de Primarievs-koye se circulaba en un solo sentido, como en los ómnibus. Tolia empujó la jamba y accedió a una escalerita de madera que doblaba a la derecha ocho escalones más abajo, tras el primer rellano, desde el que subía tanto calor como desde los hornos del infierno. Bárbaro se detuvo, impactado por el brusco subidón de temperatura, y llegó a pensar en dar marcha atrás. Tolia le dirigió una mirada socarrona, como si estuviera midiendo su capacidad de resistencia ante el calor, y él se dijo que estaba jodido, que un cubano podía achicarse ante el frío, pero jamás ante el calor, y a su pesar inició el descenso. La madera de la escalerita gemía bajo el peso de su cuerpo y él hubiera deseado gemir también para quejarse al menos de aquel fogaje que sentía crecer a cada paso. Quizá en el sitio hacia el que se dirigían estuvieran las duchas, se dijo para darse ánimos, y en eso llegó al rellano, miró hacia abajo y se quedó helado.

El segundo nivel de los baños era bastante más pequeño y muchísimo más caliente que el primero; tanto, que al terminar el descenso sintió una especie de asfixia, se derrengó en un banco y se tocó la frente. ¡Dios, estaba ardiendo en fiebres! Tolia, rojo como un tomate, lo miró mostrando sin recato su maldita sonrisa socarrona antes de decirle, «¿*Jarachó?*», y sentarse a su lado. Bárbaro sintió que lo odiaba hasta el forro, ¿cómo se atrevía a preguntarle que si estaba bien después de haberlo metido de cabeza en el infierno? «*Da, ochin jara-*

chó», dijo por puro orgullo, y la sorpresa de haber sido capaz de responder en ruso lo ayudó a esbozar una sonrisa hipócrita. El cabroncito de Tolia había vuelto a retarlo, como buen siberiano que era, y si él se rajaba le daría un gustazo que el otro saldría a proclamar inmediatamente a los cuatro vientos, a los cuatro helados vientos siberianos. Tenía que aguantar, sería el colmo que la razón de su derrota fuese a ser justamente el calor, no el frío. Levantó la mano para volverse a tocar la frente, y en eso vio que los gemelos y el gordo del bigote rojinegro estaban allí, en el banco de enfrente; habían confundido su gesto con un saludo y ahora lo saludaban a su vez, moviendo las palmas de las manos con entusiasmo de escolares. Aquella amistosa ingenuidad lo fue serenando; al menos la sensación de asfixia que lo acogotó al llegar había pasado. Pero no la fiebre. Era la segunda vez que la sufría en Siberia y por nada de este mundo ni del otro querría verse de nuevo en manos de alguna laboriosa médica local.

Aunque, desde luego, ahora no estaba enfermo sino sólo insoportablemente incómodo; la prueba era el propio Tolia, que sudaba junto a él como un bendito y no parecía preocupado en absoluto pese a estar rojo como la rabia. Pero los negros no enrojecían aunque tuvieran el pellejo ardiendo porque eran hijos del calor como los blancos lo eran del frío. No dejaba de ser curioso que tanto una temperatura como la otra, llevadas al extremo, quemaran y mataran. Aunque no eran ni remotamente lo mismo, pensó atribuyéndole una absoluta superioridad al calor y diciéndose que quizá, si trancaba las quijadas que habían empezado a castañetearle y aguantaba hasta el final como un caballo, aquel brutal exceso de calor terminaría por hacerle bien, como le había hecho mal el exceso de frío al que se expuso la noche en que Nadiezdha se largó llorando y lo dejó junto a la letrina y él se sintió tan torpe e inútil como un espantapájaros en medio de la nieve. Demoró en reaccionar tanto como en comprender cuánto había ofendido a Nadiezdha que él hubiese dicho que Siberia era el infierno, y cuando al fin partió tras ella no consiguió alcanzarla, ni logró tampoco que saliera del vagón de mujeres donde se había refugiado, frente al que montó guardia llamándola inútilmente durante una media hora que a la postre habría de resultarle fatídica. ¡Qué horror fue aquella noche, Dios! ¡Qué frustración comprobar que ni siquiera el saber que él estaba helándose en la nieve por ella consiguió diluir el rencor de aquella mujer tan fría como un inalcanzable carámbano de hielo! Soportó la interminable espera imaginando una y otra vez que ella salía a su encuentro, le reñía como una fiera, lo llamaba ¡tonto, tonto, cubano, negro y tonto!, le ajustaba la chabka y la bufanda, aceptaba su juramento de que Siberia era el paraíso y Cuba el infierno, y al final lo abrazaba y lo besaba, tan rendidamente enamorada como lo estaba él cuando comprendió que ella no saldría y regresó llorando a la letrina, decidido a someterse a la necesidad de liberar el vientre a treinta grados bajo cero como quien cumple un castigo merecido.

Jamás olvidaría aquello. Entre las bárbaras experiencias sufridas en Siberia sólo el tratamiento que le había aplicado la doctora Abdocia Romanovna Filipov cuando lo atacó la pulmonía podría compararse al tormento de la letrina. Ahora, por ejemplo, en aquel salón quemante como la garganta del diablo, al menos estaba desnudo y no tenía que angustiarse ante la virtual imposibilidad de dominar las ropas que había sufrido entonces, frente al hueco de la letrina, desde el momento mismo en que intentó liberar los botones del pantalón sin haberse quitado previamente los guantes. No pudo, desde luego, pero fue tan estúpido como para intentarlo varias veces, y cuando al fin comprendió que aquél era un esfuerzo inútil y se despojó de los guantes, desesperado por terminar de una buena vez de bajarse el pantalón, dar de cuerpo y huir del viento gélido que le cortaba la cara como una navaja, había acumulado tal grado de encabronamiento que tampoco entonces atinó a zafarse los botones y muy pronto cayó en la cuenta de que ya no sería capaz de hacerlo. El frío le había entumecido los dedos. Fue entonces cuando el miedo a cagarse en los pantalones le disparó los nervios; desesperado, tiró de ambos lados de la portañuela e hizo saltar los botones. Ahora, mientras se acariciaba los muslos desnudos con la olorosa rama de eucaliptus a ver si así se aliviaba al menos un poco de aquel calor insoportable, pensó que había hecho bien, pero entonces, en cuanto sintió que los botones saltaban e iban a perderse abajo, en el hueco donde reposaba aquella extraña mierda congelada e inodora, encontró tiempo para lamentarlo y helarse un poco más preguntándose cómo coño podría resolver aquel desaguisado. No tendría modo, como buen macho que era jamás había pegado un botón ni ensartado una aguja. Pero no era el momento de seguir lamentándolo, tenía el pantalón enguatado por los tobillos y el frío había empezado a helarle las piernas. Como quien se lanza de cabeza a una piscina sin saber si hay o no agua en ella, se bajó de una vez el calzoncillo largo y el corto, sintió que una especie de rayo helado le bajaba en un santiamén desde la entrepierna hasta los tobillos, y se acuclilló instintivamente junto al hueco de la letrina para que los faldones del abrigo lo protegieran de aquella súbita llamarada de frío. No había lobos, pero el viento siberiano aullaba en las ramas heladas de los alerces como si se acercara una manada. La imagen de Nadiezdha pasó por su cabeza como un relámpago. Ah, si al menos ella estuviera junto a él en aquel trance y le dijera «Puja, mi amor», como solía hacerlo su madre cuando él sufría de estreñimiento hacía ya tantos años, en el excusado de la covacha, no se sentiría tan miserable. Pero Nadiezdha no era su amor, ni su madre, ni siquiera su amiga; por eso lo había abandonado allí, para que se cagara de frío.

Ahora, en el baño, sonrió al evocar aquella expresión que en la noche triste de la letrina había funcionado como un ábrete sésamo; entonces se sentía tristísimo, casi derrumbado, pero en cuanto pensó que estaba cagándose de frío empezó a hacerlo, literalmente, y enseguida se sintió un poco mejor. Aunque no por mucho tiempo, tenía los dedos tan entumecidos que le resultó difícil manejar adecuadamente las hojas del *Konsomolskaia Pravda* y no pudo limpiarse bien; para colmo, al pantalón no le quedaban botones en la portañuela y tuvo que atárselo exclusivamente con el cinturón, como un arriero. Un sonoro entrecruzar de latigazos llamó su atención en medio del recuerdo y le hizo alzar la cabeza; el gordo y los gemelos habían vuelto a levantar las azules anclas de sus respectivos brazos y a flagelarse. Cerró los ojos, estaba a punto de recordar los días de su enfermedad, que habían sido al mismo tiempo los mejores y los peores de su estancia en Siberia, y quería hacerlo sin que nada perturbara su atención. Siempre había tenido tendencia a sufrir enfermedades respiratorias; según Domitila, la implacable humedad de la covacha de su infancia le había debilitado los pulmones haciéndolo propenso a pescar catarros y pulmonías contra las que ella le administraba horrendas pócimas que ahora se confundían en la memoria de Bárbaro con el acre sabor de la Emulsión de Scott, aquel aceite de hígado de bacalao que también lo obligaban a tomar para que creciera sano. Pero las pócimas de frío, cólera y depresión que tuvo que tragar la noche de la letrina al discutir con Nadiezdha, perseguirla por el campamento, montarle guardia en la puerta del vagón dormitorio y regresar con las manos vacías al punto de partida, fueron muchísimo peores que los brebajes de su infancia y terminaron provocándole una pulmonía que empezó a manifestarse en cuanto emprendió la vuelta hacia su vagón-dormitorio.

Entonces había sido tan estúpido como para atribuirle todo su malestar a aquella tristeza insondable que lo llevó a confundirse en el camino de regreso. En cuanto se detuvo ante un enorme alerce caído en medio de la nieve, cuyas grandes ramas heladas provocaban sombras misteriosas al contacto con la parva luz de la luna, supo que aquel camino no era el suyo. Pero no dio la vuelta, pese a que ya había empezado a tiritar y a toser, porque estaba fascinado por la inquietante majestad de aquella muerte. Así, le había explicado alguna vez Nadiezdha frente a un árbol semejante, caían los gigantescos alerces de Siberia, de cuajo, porque sus raíces no encontraban sostén en los hielos perpetuos y tenían que afinarse como agujas y hundirse malamente entre las capas quebradas del subsuelo, hasta que un día soplaba un viento, un gran viento, y ¡zas! Bárbaro evocó entonces, después de toser y estornudar por primera vez aquella noche, la expresión de dolor que había marcado el rostro de Nadiezdha cuando volvió a sajar el aire con el canto de la mano frente al árbol muerto, ¡zas!, antes de proceder a explicarle que así, como alerces, habían muerto desde siempre los prisioneros rusos en Siberia, y que así también había caído Ossip Ossipovich Shalámov, su padre. Bárbaro evocó aquella tragedia al descubrirse solo en la linde del bosque, y pese a que estaba tiritando de frío se puso la chabka junto al corazón y se inclinó ante el alerce muerto. Entonces lo sorprendió un ataque de tos, volvió a cubrirse y emprendió la búsqueda del camino de regreso sin saber si lloraba por él, por Nadiezdha, o por la memoria de Ossip Ossipovich Shalámov.

Se había orientado con relativa facilidad, pero aun así el camino de regreso fue doblemente penoso porque ya estaba volado en fiebres y lo sabía. Sin embargo, no despertó a Tolia ni a Chachai ni mucho menos intentó llamar otra vez a Nadiezdha. Ignoraba si los siberianos soportaban la fiebre sin rechistar, pero él se disponía a hacerlo; con dos objetivos, medirse con el reto de la enfermedad y llamar la atención de Nadiezdha sin haber solicitado previamente su ayuda. Ahora, mientras escuchaba el monótono golpear de las ramas sobre las espaldas del gordo y de los gemelos, se preguntó si el insoportable calor que sufría en el baño era o no más intenso que el que lo había quemado durante las fiebres padecidas entonces. Meditó unos segundos antes de concluir que el problema estaba mal planteado; quizá ambos calores eran igualmente quemantes, pero éste provenía de afuera y terminaría pronto, mientras que aquél le había brotado desde dentro licuándole el cerebro, provocándole escalofríos y sumiéndolo cada noche en una pesadilla recurrente. Él aparecía tiritando como un

condenado en una playa, con los ojos y el pellejo achi-
charrados por el sol y la sal, y cuando ya nada en este
mundo podía salvarlo aparecía Nadiezdha, le rozaba
dulcemente las mejillas con los labios húmedos, lo hacía revivir y ambos experimentaban entonces una felicidad tan luminosa como el oscuro horror que sobrecogía
a Bárbaro instantes después, cuando la arena de la playa
se trocaba en hielo, el mar en nieve, la claridad en noche
y la dulce cercanía de Nadiezdha en la fría presencia
de la muerte.

No obstante, ahora recordaba el período de las fiebres con una mezcla agridulce de rechazo y nostalgia.
El rechazo se debía a la memoria de la pesadilla y de las
diarias visitas de la doctora Abdocia Romanovna Filipov, una médica bajita, ancha y ruda como un tanque
de guerra, que conservaba su expresión imperturbable
mientras lo sometía a atroces curas de caballo. Desde el
principio, Abdocia Romanovna le diagnosticó una pulmonía y decidió que su estado de salud no aconsejaba
trasladarlo al hospital más cercano, situado a tres mil
doscientas vertsas de distancia, mandó mudar a Tolia y
a Chachai del vagón-dormitorio y empezó a atender allí
mismo a su paciente con la ayuda de Nadiezdha, que
hacía las veces de enfermera e intérprete. Entre ambas
atosigaban a Bárbaro con pócimas amargas, le acribilla-
ban las nalgas con enormes jeringas de agujas romas y
le achicharraban el pellejo con sinapismos untados de
mostaza. El clímax de aquel tratamiento atroz tenía lugar cuando Abdocia Romanovna le aplicaba a la espalda ventosas pobladas de sanguijuelas, asquerosos
gusanos anélidos que le chupaban la sangre como verdaderos vampiros haciéndolo protagonista en la realidad de una pesadilla más horrenda aún que la que solía

asaltarlo en sueños. De acuerdo con la inflexible rutina de Abdocia Romanovna, aquella impía ceremonia tenía lugar en cada visita, cuando Bárbaro ya estaba adolorido por los pinchazos, escaldado por el amargor de la pócima, irritado por la mostaza de los sinapismos y asqueado por la visión de las sanguijuelas. La primera vez, cuando Nadiezdha le tradujo que se quitara la camisa del pijama y se diera la vuelta, él obedeció y ofreció la espalda con cierta aprehensión, aunque ni siquiera imaginaba la clase de tormento a que iban a someterlo. Entonces Abdocia Romanovna le aplicó tres ventosas, las sanguijuelas empezaron a chuparle vorazmente la sangre, él sintió un miedo pánico, y pese a la debilidad que le había producido la fiebre alcanzó a gritar que lo dejaran quieto e incluso a tirar un manotazo hacia atrás a ver si así conseguía liberarse de la tortura de los bichos. Pero Abdocia Romanovna le atrapó la muñeca en el aire, se la apretó con fuerza y le gritó a su vez, a través de Nadiezdha, que la primera obligación de un paciente era estarse tranquilo mientras la ciencia médica actuaba. Bárbaro obedeció, aunque no estaba tranquilo sino estupefacto; no alcanzaba a entender que Abdocia Romanovna incluyese en el riguroso universo de la ciencia médica a aquellas ceremonias satánicas.

Vio entre la niebla cómo Tolia se ponía de pie, cogía la rama de eucaliptus y se sonaba en la espalda el primer trallazo de la segunda tanda, pensó que los siberianos estaban locos pa'l carajo y juró por Santa Bárbara mantenerse siempre atado al mástil de la cordura. El baño, con agua y jabón; la sangre, corriendo por las venas. Cerró los ojos dispuesto a evadirse del calor insoportable de aquel baño de orates evocando los inefables momentos de felicidad que más allá de dolores, fiebres y pesadillas le había deparado la pulmonía. ¡Dios, qué rico había sido dejarse cuidar por Nadiezdha! ¡Qué dulce verla sufrir por él! ¡Qué duro curarse! Los mejores momentos habían sido aquellos en los que ella, siguiendo las instrucciones escritas por Abdocia Romanovna, le aplicaba en el pecho y la espalda un ungüento color verde esperanza, oloroso a plantas de la taigá, que le facilitaba respirar y le aliviaba la piel irritada por los sinapismos y herida por el asqueroso laboreo de las sanguijuelas. Ahora, mientras olía las hojas de la rama de eucaliptus, se acarició el pecho que entonces Nadiezdha había recorrido tantas veces con los dedos olorosos a resinas del bosque. Él mantenía los ojos cerrados mientras ella lo acariciaba, convencido de tener frente a sí a un pajarillo dispuesto a salir volando si se sabía observada. Le era difícil y triste sustraerse a la tentación de mirar los cálidos ojos azules de Nadiezdha; sin embargo, aquella renuncia voluntaria le permitió garantizar que ella se sintiera cómoda acariciándolo, mientras él iba descubriendo poco a poco los delicadísimos placeres táctiles de los ciegos, hasta elevarse y sentir la caja de su cuerpo como una guitarra de la que Nadiezdha arrancaba hondas canciones de amor.

Un día no pudo más, abrió los ojos y ella le retiró precipitadamente las manos del pecho desnudo como una ladrona sorprendida in fraganti. Pero no bajó la vista, ni él tampoco, y estuvieron mirándose durante unos dolorosos segundos de silencio en los que todo quedó dicho. Luego, el rictus de amargura volvió a dibujarse como una cicatriz junto a las comisuras de los labios de Nadiezdha, que empezó a hablar en actitud de enfermera. Según la doctora Abdocia Romanovna Filipov, dijo, Bárbaro pronto se pondría bien y podría volar a Irkust y luego a La Habana, con los suyos; si él estaba de acuerdo, ella se encargaría personalmente de adelantar la fecha del pasaje y desde luego lo acompañaría al aeropuerto. En aquel instante Bárbaro la sintió más cerca y más lejos que nunca, más adolorida que nunca, y estuvo a punto de responderle, por amor, que sí, que se iría. Pero no encontró fuerzas para hacerlo, y ahora, mientras miraba a Tolia flagelarse con la pasión de un arrepentido, tuvo el pálpito de imitarlo a ver si así conseguía arrancarse a Nadiezdha del alma a latigazos. Meneó la cabeza, de hacerlo estaría actuando como un siberiano y no lo era, simplemente; sabía demasiado bien que si se atrevía a flagelarse Nadiezdha entraría más profundamente en su corazón con cada latigazo, como había entrado entonces, en el vagón-dormitorio, con cada palabra y con cada segundo de silencio. No, le había respondido en aquella oportunidad, con voz quebrada, no adelantaría el regreso. Nadiezdha bajó la cabeza; tenía los grandes ojos humedecidos y los finos labios temblorosos, como si estuviera a punto de decirle que no podía más, de pedirle que se fuera o no respondía de lo que pudiera pasar entre ellos, de informarle que no estaba en condiciones de permitir que pasara nada, de confesarle que lo deseaba y lo quería tanto como él a ella, y aun de rogarle que precisamente por eso debía irse cuanto antes, por favor, para no seguir haciéndose daño mutuamente, hasta lo irremediable. Si ella hubiese hablado así, él no habría tenido fuerzas para negarse por segunda vez a partir; después de todo, ya había acumulado material más que suficiente para el reportaje y no soportaba Siberia, no tenía, por tanto, ninguna razón para permanecer allí, salvo el amor de Nadiezdha, y por él se sentía dispuesto incluso a la renuncia. Pero ella se mantuvo cabizbaja y silenciosa durante unos segundos insoportablemente largos, y de pronto levantó la cabeza con una especie de altanería herida.

—Peor para ti —dijo.

Bárbaro interpretó aquel reto como el mayor de los que había recibido a lo largo de su vida, y no sólo porque le fue lanzado por Nadiezdha, la única mujer que había conseguido competir con Lucinda en su imaginación, sino también porque nació vinculado a la posibilidad de cumplir o no la promesa que les había hecho a Changó y a Santa Bárbara antes de salir de Cuba. La inmensa magnitud que para él revestía aquel problema resultó sólo equiparable a la del sufrimiento que le produjeron las consecuencias del órdago lanzado por Nadiezdha; desde el preciso instante en que pronunció aquella especie de maldición, ella empezó a someterlo a un implacable cerco de frialdad, y él no tuvo otro remedio que penar en solitario, pues no tenía siquiera un confidente, un hombro sobre el que rumiar su desgracia. Más de una vez lloró a solas recordando el beso que se habían dado en la troika y estuvo a punto de quebrarse y adelantar el regreso a Cuba; no lo hizo porque le quedaban una pizca de orgullo, algo de esperanza y mucho rencor. Sólo estaba seguro de una cosa, si él sufría, ella también. De modo que quizá, si tenía el orgullo de aguantar callado, Nadiezdha terminaría entregándosele. Y si no lo hacía, si era lo suficientemente alacrana como para seguir clavándole el aguijón sin reconocer siquiera que tampoco ella podía más, que se jodiera. Así como ella no se le quitaba de la cabeza, él no pensaba quitársele de delante. Tras muchos días de penar, aquel comportamiento tozudo, casi autista, había tenido al fin su recompensa la noche anterior en el albergue Cosmos, cuando Tolia y Chachai subieron a dormir inmediatamente después de la cena. Entonces Nadiezdha lo invitó a buffet, compró una botella de vodka, la puso sobre la tosca mesa de madera, y tras un silencio tan prolongado que él llegó a preguntarse si no lo estaría sometiendo a una intensificación del reto con el objetivo de hacerlo estallar de ansiedad o de rabia, llenó dos vasos y propuso un brindis por lo que no podía ser.

Bárbaro recibió un latigazo en plena espalda y por un instante no supo dónde estaba ni fue capaz siquiera de identificar qué le había ocurrido. Miró a su lado buscando instintivamente a Tolia; no lo vio y un segundo latigazo terminó de meterlo de sopetón en la realidad del baño. Volvió la cabeza hacia el sitio de donde provenían los golpes y entonces sí que vio a Tolia con la rama de eucaliptus enarbolada sobre la cabeza, dispuesto a descargarla por tercera vez. Apenas tuvo tiempo de levantar los brazos, cubrirse la cara y girar el tronco; recibió el tercer foetazo en el hombro derecho, se puso de pie y alcanzó a exclamar «¡*Niet!*» cuando vio que Tolia volvía a levantar la rama. Pero el instinto le dijo que el otro no iba a hacerle caso y dio un paso atrás justo cuando Tolia empezaba a descargar el foete, que esta vez cortó el pesado aire del baño apenas a unos milímetros de su cara. Deseó tener palabras que aquel estúpido pudiera entender para preguntarle qué bicho lo había picado, pero tuvo que limitarse a retroceder al verlo levantar de nuevo la rama. Había quedado fuera del alcance del látigo de Tolia, sintió que la espalda y el hombro le escocían, miró a su alrededor buscando alguna explicación, algún apoyo, y sólo atinó a identificar entre nubes de vapor a los gemelos y al gordo de bigotes rojinegros, que miraban el espectáculo partidos de la risa junto a otros sujetos igualmente divertidos. Entonces vio de refilón cómo Tolia saltaba el banco y venía hacia él rama en ristre, le dio el frente y exclamó adelantando los brazos, «¡Tá bueno ya!, ¿jarachó?». El otro no pareció haberlo escuchado y él volvió a gritar: «¡No, o sea, *niet!*, ¿okey?». Por toda respuesta recibió un trallazo en la barriga y casi de inmediato otro en el pecho. El ardor lo encabronó de mala manera, cayó en la cuenta de que tenía su rama de eucaliptus en la mano derecha y le propinó a Tolia un fortísimo ramalazo en el flanco; escuchó gritos, aplausos, recibió otro foetazo y volvió a dar y a recibir alternativamente durante un buen rato, obligado por la dinámica de aquel combate incomprensible, hasta que de pronto Tolia abandonó la esgrima, le ofreció la espalda sin razón aparente y él empezó a pegarle a mansalva, con el objetivo de cobrarse los ramalazos que el muy siberiano le había propinado a traición. No podría decir cuándo comprendió que la sangre le circulaba con mayor intensidad debido a los latigazos recibidos y al propio ejercicio de pegar; se sintió eufórico, simplemente, intuyó que Tolia se había dado la vuelta con toda intención, que le gustaba el juego, y se entregó al soberbio placer de seguir quemando a golpes la espalda de aquel blanquito hasta que descubrió con horror que la picha había empezado a parársele.

Se sentó de inmediato, los codos en las rodillas y la quijada en las manos, para ocultar así su vergüenza; miró de soslayo a su alrededor y suspiró al ver cómo los hombres terminaban de aplaudir, satisfechos de haber presenciado un buen encuentro. Nadie se había

dado cuenta de su excitación; no tenía de qué preocu-
parse salvo de sí mismo, del propio loco que llevaba
dentro, al que por lo visto le gustaba pegar, sobre todo
a los blancos. No volvería a perder el control, lo juraba.
También le había jurado a Nadiezdha la noche anterior
en el buffet del Cosmos que regresaría a Cuba en la fecha programada, para la que apenas faltaba una semana. Sintió un mareo al comprender que su deriva lo
había enfrentado cara a cara con aquel rotundo fracaso,
que hasta entonces había intentado olvidar. Regresaría
culpable, sin haber cumplido la promesa de entrar en
una hembra, y los dioses tendrían todo el derecho del
mundo a castigarlo. Aquella súbita conciencia de la relación entre culpa y castigo lo remitió a su infancia, al
momento sobrecogedor en que su madre le había hecho
prometer, de rodillas ante el altar de Santa Bárbara, que
estudiaría mucho, porque un negro bruto era tan asqueroso como un negro sucio, tan pobre como un negro
pordiosero, tan culpable como un negro hereje. Se había
estremecido entonces y volvió a hacerlo ahora, al recordar las terribles admoniciones de su madre mezcladas
con las de la vidente gallega María Caldeiro, que ofi-
ciaba vestida de riguroso luto en el solar contiguo a la
covacha de la calle Maloja, y les había advertido a los
niños del barrio que el alma de quien muriera sin haber
cumplido una promesa hecha a los dioses no encontraría descanso, quedaría convertida en un Ánima en
Pena, como se decía en su lejana Ourense, o en un
Ánima Sola, como se le llamaba en Cuba, condenada a
vagar y vagar eternamente por los caminos sin perdón
ni consuelo. Quizá por miedo, él se acostumbró desde
entonces a cumplir sus promesas e incluso su palabra y
a estudiar tanto que llegó a convertir ese hábito en una

segunda naturaleza. Pero esta vez no había cumplido y sabía que no iba a poder hacerlo; su alma estaba en pena, aunque paradójicamente no se sentía sola. Para reafirmarse evocó la confesión que Nadiezdha le había hecho la noche anterior, después de haber brindado triste y decididamente por lo que no podía ser. Estaban sentados frente a frente en el pequeño buffet del Cosmos, con la mesa de madera por medio, junto a una ventana tras la que se veía la calle principal de Primarievskoye cubierta por una capa de nieve e iluminada por la triste luz del anuncio de neón del albergue, y Bárbaro todavía estaba tratando de asimilar el significado del brindis cuando Nadiezdha se dio un largo trago en solitario, lo miró a los ojos y confesó.

—Te quiero.

Él repitió ahora aquellas palabras, volvió a estremecerse de gozo con tanta intensidad como lo había hecho al escucharlas de labios de Nadiezdha, y se preguntó si sería posible negociar con los dioses, decirles, por ejemplo, que aunque no había logrado entrar en una hembra, sí había conseguido que la siberiana más bella de la creación se enamorara de él. No supo qué responderse ni consiguió imaginar qué dirían los dioses y tornó a refugiarse en el recuerdo. Al escuchar aquella confesión había quedado mudo, feliz, agradecido, y extendió una mano con la ilusión de que Nadiezdha se la acariciara. Pero ella retiró las suyas, se mordió brevemente una uña y siguió hablando. Tenía que rechazar de raíz aquella locura, aquel delirio de enamorarse de un extranjero que además era negro y cubano, dijo mientras cogía la botella de vodka y la trasladaba a un extremo de la mesa, porque Siberia era el frío y estaba aquí, en Asia, en pleno Oriente; dio un golpe seco en la madera con el fondo de la botella para fijar la ubicación de Siberia en aquel mapa imaginario que estaba construyendo con la extrema tensión de la mirada, llevó su vaso al extremo opuesto de la mesa y añadió que en cambio Cuba era el calor, y estaba allá, en otra dimensión, en Occidente. Puntualizó con un segundo golpe seco la ubicación de la isla en el mapa y empezó a pasar la mano a un palmo de la superficie de la mesa, tan lentamente como si quisiera subrayar la distancia que mediaba entre el vaso y la botella, y aquel espacio infinito que separaba a Cuba de Siberia, dijo al fin, era el mundo.

Él evocó ahora los múltiples nudos, manchas y estrías de la madera que, entonces, al verlos bajo los dedos de uñas carcomidas de Nadiezdha, había asociado con continentes, montañas, océanos, mares y ríos. Sí, enamorarse de alguien con el mundo por medio era un imposible, ella no había nacido para el calor ni él para el frío, y por si el obstáculo de la distancia fuera poco, Nadiezdha le había revelado aquella noche, a punto de rajarse en llanto, que estaba casada. Alexander Petrovich Kirilov, su marido, era un ex prisionero político a quien el campo de las minas siberianas de Kolymá había destrozado la vida. Y de paso también se la había roto a ella, confesó Nadiezdha con un dulce gesto de amargura, porque Sacha entró al Gulag a los dieciocho años, cuando era casi un niño, y salió diez años después convertido en un alcohólico irremediable. Era técnico forestal, había permanecido en Siberia después del cierre del campo porque allí le ofrecieron trabajo, y entonces fue cuando ella, para quien todos los prisioneros políticos eran santos, como lo había sido su padre, se enamoró hasta las entretelas de Sáchenka. Bárbaro sintió que se le nublaba la vista ante aquella confesión, como si Nadiezdha lo hubiese conducido hasta el borde de un abismo y allí lo hubiese acometido un ataque de vértigo; se dio un trago y encendió un cigarrillo para ver si podía ayudarse a disimular su confesión y su miedo, y ahora repitió maquinalmente el gesto de buscar la cajetilla de Populares en el bolsillo del pantalón y dio con la mano en el muslo desnudo y sudoroso. No podría fumar, pero pese a la ansiedad se sentía algo mejor que entonces, cuando supo que Nadiezdha había estado enamorada hasta los huesos de otro hombre, un borracho, por más señas. Sintió que los latigazos de Tolia le habían estimulado la circulación de la sangre, y que el recuerdo de las restantes confesiones de Nadiezdha le había dulcificado el alma hasta el punto de permitirle evocar tristemente, casi sin rencor, la dolorosa cercanía con que ella pronunciaba los diminutivos del nombre de quien la había conducido a la desgracia. Nadiezdha decía Aliosha, Sacha o Sáchenka con la infinita capacidad de ternura de la lengua rusa, tan dulcemente como si se estuviera refiriendo a un niño y aun a un niño enfermo. Y Aliosha lo estaba, desde luego, decía ella, aunque nadie lo creería si lo viera sobrio, porque en ese estado era absolutamente encantador. ¡Ah, si Bárbaro hubiese podido ver cuánto y cuánto la había amado Sacha en los primeros meses de matrimonio!, exclamó Nadiezdha con el rostro transfigurado por el sufrimiento, antes de darle gracias al gran Dios de los rusos por aquel tiempo en el que había sido feliz.

Una lágrima empezó a deslizarse por las mejillas de Bárbaro, que se apresuró a secarla con el dorso de la mano agradeciendo que hubiera bajado mezclada con gotas de sudor. Forzó una sonrisa para que nadie reparara en que había llorado y miró a Tolia, a los geme-

los y al gordo de bigotes rojinegros, que conversaban
entre nubes de vapor como si fueran una alucinación.
¿No lo eran? En todo caso para él no había más realidad
que la memoria del rostro de Nadiezdha trastornado
por el dolor, las marcas de las comisuras de sus labios
profundas como cicatrices, las finas ventanas de la nariz temblando como las alas de un pajarillo, el cálido
azul de los ojos trocado repentinamente en gris, los labios sin color, echándole en cara al gran Dios de los rusos el haber permitido que Sáchenka se convirtiera en
un monstruo. Hacía más de un año ya que Aliosha había perdido el trabajo, dijo, acusado de no reaccionar
a tiempo contra un incendio que se produjo en uno de los
bosques que tenía a su cuidado. Y a ella le constaba que
había sido él quien, estando borracho, provocó el desastre. ¿Cómo encontrar placer en quemar abedules, alerces, cedros boreales, los árboles más bellos de la creación? ¿Por qué pegarle fuego al paraíso? Sacha se
odiaba, no había otra explicación, se odiaba a sí mismo
y por eso odiaba al mundo y también a ella, dijo Nadiezdha, y empezó a llorar dulcemente, incontenible-
mente, con la misma suavidad con la que siguió hablando. ¿Y ella, qué podía hacer por él más que trabajar
en la calle y en la casa, si se le podía llamar así al mísero
cubil en que vivían?, ¿más que sobresaltarse cuando Sáchenka no llegaba en las noches, peregrinar por los cuatro tugurios donde solía beber hasta matarse, encon-
trarlo en uno de ellos, o tirado de bruces en la calle, con
la nariz y los labios rotos, arrastrarlo de vuelta para que
no fuera a morírsele de frío, curarlo y limpiarle la sangre
y el vómito pidiéndole a Dios que volviera a dormirse
pronto, que no le gritara horrores, que no le pegara,
que no intentara violarla como un forajido?

Nadiezdha se rajó abiertamente en llanto y Bárbaro apagó de cualquier modo el cigarrillo, se sentó a su lado, le pasó el brazo por los hombros y la dejó llorar en su regazo preguntándose cómo era posible que ella no rompiera con aquella cárcel, no denunciara a Sacha ante la policía, no huyera a cualquier sitio. Empezó a acariciarle el pelo largo y lacio y se demoró mirando refulgir las hebras color platino sobre la negra piel del dorso de su mano, hasta que Nadiezdha volvió a hablarle como si hubiera escuchado las preguntas que él no se había atrevido a pronunciar. Sí, Sáchenka era un monstruo, y sin embargo, ¿cómo abandonarlo si había pasado siete años en los campos de Kolymá? Era cierto que Ossip Ossipovich Shalámov, su padre, había pasado quince, pero él era un verdadero santo, un buscador de Dios que además había tenido el sostén de Angustias González. ¡Ah, injusto Dios de los rusos!, ¿por qué no le dabas siquiera una parte de la pasión que había sostenido a su madre? Aún en medio de las lágrimas, la mirada de Nadiezdha recuperó de pronto la intensidad de la esperanza cuando dijo que Angustias González había sido una mujer perseguida sin tregua por la desgracia, un ser que encontró su fuerza en el amor y no se quebró nunca. Había llegado a Rusia siendo una niña, como refugiada de la guerra de España en la que había perdido a sus padres, y aquí tuvo que crecer en medio de otra guerra donde perdió un ojo en un bombardeo. Pero años después el misericordioso Dios de los rusos la recompensó con un gran amor, ¿había alguna gracia comparable en esta vida? El rostro de Nadiezdha se iluminó de tal modo con aquella pregunta que ahora, al evocarlo, Bárbaro se sintió sobrecogido y se dijo que bien había valido la pena morirse de miedo en los aviones,

de frío en la tundra, de celos en la conversación del
Cosmos y de calor en el baño donde estaba, con tal de
ver en una mirada humana una combinación tan fulgu-
rante de amor, sufrimiento y esperanza. No, no había
gracia comparable en esta vida, siguió diciendo Nadiezdha, aunque las pruebas que imponía Dios a cambio del privilegio de un amor así pudiesen ser tan duras
como las que le había tocado vencer a Angustias González cuando su marido fue condenado a los campos de
Kolymá. En aquel entonces su madre estaba embara-
zada de ella y en ese estado tuvo que enfrentarse a una
encrucijada con tres alternativas. Podía renegar de Ossip Shalámov, divorciarse de él, quedarse en Moscú y
conservar su trabajo en el Instituto de Filología de la
Universidad Lomonósov; continuar casada, perder el
empleo y esperar el regreso de su esposo en la ciudad,
trabajando como barrendera; o seguir a su hombre a Siberia a todo riesgo. Angustias González tomó el tercer
camino, dijo Nadiezdha, conoció la felicidad única que
nace del dolor más intenso, apoyó desde cerca a su marido, lo esperó durante años y lo recibió enfermó de
cáncer, pero libre, y no se separó de su lado ni un minuto; se hizo siberiana y como tal la educó a ella, que
tenía el orgullo de haber nacido allí, en aquella tierra
sagrada, y también el de haber enterrado allí a sus padres. ¿Cómo era posible entonces que su amor hubiese
sido incapaz de curar a Sáchenka? Sabía perfectamente
que él no era culpable de nada, que quienes salían vivos
de los campos quedaban enfermos para siempre de una
cosa o de otra, y sin embargo le faltaban las fuerzas
para seguir cuidándolo y queriéndolo. ¡Malvado Dios
de los rusos!, ¿por qué le habías metido en la cabeza la
idea de abandonar a su Sacha alguna noche, de dejarlo

tendido en la nieve cuando estuviera borracho para que no volviera a amanecer?, ¿por qué no lo llamabas a tu lado?, ¿por qué no lo matabas tú mismo de una vez?

«*Dabai*», dijo Tolia, dándole una palmadita en el hombro. Bárbaro lo miró sin entender, como si lo hubieran despertado bruscamente de un sueño. Tolia echó a caminar tras los gemelos y el gordo de bigotes, y él regresó a la difusa realidad del baño y empezó a seguirlos sintiendo que le dolía alejarse de la memoria del rostro de Nadiezdha, tan bello y transfigurado por el sufrimiento como el de un Cristo en la cruz. De pronto, se detuvo; aquella idea le pareció una revelación que le permitiría explicarse muchas cosas. Cristo era mujer. Dios había tenido una hija y la había mandado a la tierra a proteger la vida y a sufrir por los hombres; pero todavía hoy, mil novecientos y muchos años después de aquel acontecimiento, las gentes no habían reparado en ello, pese al milagro de que la salvadora estuviese, como el mismo Dios, en todas partes bajo distintos nombres y rostros. Angustias González, la tuerta, era Cristo, como lo era su propia madre, Domitila Peláez, que había sabido enjugar con una sonrisa todo el sufrimiento del mundo, y lo era también Nadiezdha Shalámov, quien precisamente por ello se había atrevido a increpar a su padre desde la cruz llamándolo injusto y malvado. «*Dabai, dabai*», lo apremió Tolia, detenido frente a una portezuela por la que justo en ese momento estaban desapareciendo los gemelos y el gordo de bigotes. Bárbaro volvió a avanzar, deseaba ver a Nadiezdha cuanto antes y se preguntó si el baño habría terminado o si se estarían dirigiendo a las duchas. Aunque ahora ese asunto le preocupaba muchísimo menos que al entrar; ahora quería salir enseguida de aquel salón caliente como el infierno para reencontrarse de inmediato con Nadiezdha. Iba a obedecerle, le diría, a regresar a Cuba sin mirar atrás y a no escribirle nunca, tal y como ella se lo había rogado llorando en el buffet del Cosmos, inmediatamente antes de beberse al tuntún un nuevo vaso de vodka, besarlo en la boca y escapar hacia su habitación dando tumbos en la escalera como quien se desangra.

Tolia le cedió el paso en la portezuela y Bárbaro miró por el vano buscando inútilmente la luz de alguna ventana; vio una escalerita en penumbras, y abajo, en el rellano, una luminosidad color naranja. Sintió que desde allí emanaba un calor que parecía brotar de las entrañas mismas de la tierra, un calor mil veces más intolerable que el que había sufrido hasta ese momento. Volvió la cabeza y miró inquisitivamente a Tolia, que repitió: «*Dabai*» y lo empujó levemente por el hombro. Se decidió a bajar con una fortísima aprehensión, tentando como un ciego las quemantes paredes de la escalerita, sin saber hacia dónde dirigía sus pasos. El calor se iba haciendo más agobiante a cada momento, de modo que cuando arribó al rellano apenas podía respirar. Allí la escalerita giraba a la derecha; debajo se veía una gran hoguera rodeada por sombras de hombres desnudos que le parecieron primitivos adoradores del fuego. Siguió bajando, cada vez con mayor lentitud, y cuando finalmente se unió a la tribu de sombras tuvo la insoportable impresión de que las llamas habían empezado a quemarle el pellejo. Se sintió desfallecer, sus pupilas terminaron de adaptarse a la luz de aquella cueva donde estaban también Tolia, los gemelos, el gordo y otros cinco o seis siberianos. Junto a la hoguera había una pila de ladrillos al rojo vivo que le pareció un tótem, y al lado un gigante, un ruso altísimo, ancho y fuerte como un roble, alimentando el fuego. La luz de las llamas iluminaba desde abajo su gran cuerpo blanco otorgándole una dimensión espectral; llevaba un casquete de cuero, dos largas manoplas de cuero que le cubrían desde las manazas hasta los antebrazos y un taparrabos de cuero sostenido por una cuerda de cuero que le rodeaba la cintura. De pronto, el gigante pegó un grito inhumano que pareció brotarle del trasfondo del alma y que Bárbaro identificó con la llamada de la muerte.

El alarido era una orden que los restantes miembros de la tribu se apuraron a obedecer; tiraron al fuego sus respectivas ramas de eucaliptus, soltaron también un grito formidable y se acuclillaron como en una ceremonia iniciática. Bárbaro permaneció de pie, paralizado por la crepitante llamarada que siguió a la lluvia de ramas, erizado por el bramido gutural que todavía rebotaba en las paredes de la cueva como en las de un templo, y en eso sintió que empezaba a ahogarse y perdió toda esperanza. Dejó caer su rama al fuego y un grito de espanto le brotó desde los carcañales y le recorrió el cuerpo tan veloz y violentamente como un relámpago. El gigante agarró un cubo que tenía tras la espalda, abrió una trampilla situada a ras de suelo en la pared, metió el cubo por el hueco, lo reintrodujo en la cueva colmado de nieve y lo alzó sobre su cabeza como un semidiós. Bárbaro estaba preguntándose si aquél sería el final, si la muerte vendría a rescatarlo del atroz ahogo que le provocaba aquella enigmática ceremonia de frío y fuego, cuando el gigante descargó de una vez la nieve sobre la torre de ladrillos al rojo vivo. Una nube de vapor ardiente como una llamarada brotó del tótem y Bárbaro sintió que toda la cueva se convertía en una hoguera y que el pelo y el pellejo empezaban a quemársele. Alcanzó a escuchar el crepitante chisporreteo de sus cabellos, pegó un alarido, sintió un golpetazo en las corvas y cayó de rodillas ante el gigante. Comprendió que abajo el pelo se le quemaba más lentamente y que Tolia era quien le había pegado para que cayera. No se entretuvo en preguntarse por qué; guiado por el instinto, se concentró en golpear la pared con ambas manos buscando cómo salir de aquella encerrona. Desfallecía cuando sintió una bocanada de aire fresco a la espalda, se dio la vuelta, vio que el gigante estaba terminando de abrir una portezuela hacia la que ya se dirigían en tropel los miembros de la tribu, corrió a gatas hacia allí con la fuerza feroz de la desesperación y salió al exterior dando gracias al gran Dios de los rusos por haberle permitido escapar del infierno.

Entonces comprendió que estaba en cueros vivos en medio de la nieve y el terror volvió a paralizarlo. Cerró los ojos. De seguir allí no podría sobrevivir. Tenía que hacer algo para escapar del frío tal y como lo había hecho para huir del fuego. Se apoyó en el pie derecho y levantó el izquierdo, que así no seguiría en contacto con la nieve, dos segundos después invirtió la posición, luego se inclinó sobre sí mismo. En eso escuchó una carcajada cuyo tono le recordó el de Nadiezdha. Pero ella no podía estar allí; él oía visiones, aquella insana combinación de frío y calor extremos había empezado a ponerle la cabeza mala. Volvió a escuchar las carcajadas, miró hacia adelante orientándose por el sonido y se preguntó si no estaría sufriendo una alucinación. A sólo diez metros de distancia, acodada junto a otras mujeres en la barandilla de un puentecito por el que pasaban incluso algunos transeúntes, Nadiezdha lo miraba, partida de la risa. Bárbaro sintió un feroz desasosiego, una mezcla de rabia, miedo, humillación y vergüenza. La muy cabrona estaba aprovechando para burlarse de él en público; así, forrada en el abrigo mongol, con chabka, bufanda, botas y guantes era fácil reírse de un pobre diablo en pelotas haciendo visajes sobre la nieve. ¿Cómo podía ella estar tan campante con tantos machos desnudos enfrente? Él, por lo menos, seguía doblado sobre sí mismo, mirándola desde abajo y ocultando sus partes, pero los restantes miembros de la tribu se paseaban en cueros por la nieve, erguidos como vencedores. Algunos, los gemelos y el gordo de bigotes rojinegros entre ellos, tenían incluso el descaro de acercarse al puentecito a saludar a unas mujeres que estaban allí junto a Nadiezdha, sin que les importara un comino exhibirse tal y como sus madres los habían parido. Y encima los muy sinvergüenzas parecían no tener frío; caminaban sin zapatos por la nieve tan tranquilos. Aunque pensándolo bien tampoco él tenía frío, podía incluso percibir cómo sus poros todavía hirvientes despedían calor y absorbían humedad a borbotones; en realidad se sentía físicamente mejor y más limpio que nunca desde que estaba en Siberia, quizá más fuerte y más limpio que nunca en su vida. Y entonces, ¿por qué no se atrevía a incorporarse del todo e iba a saludar a Nadiezdha como lo hacía ahora Tolia, por ejemplo? La sola idea de exhibirse ante ella con las vergüenzas al aire le hizo sentir que se moría de pena. Sin embargo, Tolia estaba en cueros frente al puentecito charlando con ella como si tal cosa, mientras la muy siberiana tenía el supremo descaro de provocarlo a él, llamándolo a voz en cuello: «¡Bárbaro!». No se le ocurrió nada mejor que permanecer inclinado sobre sí mismo y saludarla desde lejos con la mano. Ella soltó otra carcajada, volvió a llamarlo, y él se dijo que tenía que sobreponerse a la vergüenza y acudir, que sería mucho peor terminar llamando la atención de los otros. Si todos lo hacían, ¿por qué no hacerlo también él? Se sentía fuerte, feliz de haber superado la prueba, y era consciente además de que su cuerpo era bello. Podía incorporarse del todo, como lo hizo, tapándose un poco las vergüenzas con la mano derecha mientras echaba a caminar e iba acercándose a Nadiezdha. En eso ella dejó de reír y empezó a mirarlo con una intensidad tan poderosa que Bárbaro volvió a sentir pudor, pero también comprendió que ya no podía detenerse y que era inútil pretender cubrirse mientras caminaba, de modo que inspiró profundamente para paliar siquiera un poco la emoción que lo embargó al plantarse desnudo frente a ella, sostenerle la mirada y decirle: «Hola».

AGUA

Le parecía increíble que todo fuera a terminar en unas horas, que a las dos de la tarde del día siguiente estuviera condenado a largarse por donde había venido sabiendo que nunca más vería a Nadiezdha. Encendió un cigarrillo, le dio un par de chupadas y lo miró arder pensando que así también se había ido su vida, como un fuego apenas capaz de quemar picadura y disolverse en humo. Paseó la vista por la desangelada habitación del hotel al que había arribado hacía apenas unas cuantas semanas que le resultaron tan importantes como años de existencia; una existencia que allí, en Siberia, había terminado por encontrar sentido y que ahora estaba a punto de perderlo. Como un autómata, descolgó el pesado abrigo mongol, lo puso sobre la cama con las mangas extendidas en cruz, y experimentó una brutal opresión en el pecho ante el vacío de aquella pieza que lo había acompañado

y protegido de las ventiscas y la nieve como una segunda piel. Fue acopiando en el centro del abrigo las
otras ropas de invierno siberiano que le habían entre-
gado al llegar; miró por última vez el horrendo pantalón enguatado, al que en algún momento Nadiezdha
había vuelto a coserle los botones; los feos sobrecalcetines de lana; los ridículos sobrecalzoncillos manchados
de orina; la chabka de orejeras tristes como un perro
vencido; las pesadas botas y el incomodísimo par de
guantes. Todas y cada una de aquellas piezas estaban
aborreciblemente sucias, apestaban a sudor y mugre
concentrados, pesaban como un fracaso, y sin embargo
hubiera pagado por poder llevarlas consigo. Como una
penitencia cruzó sobre ellas el cuello y el faldón del
abrigo, hizo un nudo con las mangas y un lazo con la
bufanda de lana en la que más de una vez había llorado, tiró el hatillo en el piso, junto a la puerta del baño,
se sentó en la cama y permaneció mirando al bulto durante largo rato, como si su alma estuviese encerrada en
aquellas pestes, negada a abandonar Siberia a ningún
precio.

Tuvo la tentación de volver a vestirse con aquellas
ropas asquerosas a las que tanto había llegado a odiar y
de mirarse al espejo disfrazado de siberiano por última
vez. No, en su caso aquel atuendo nunca sería un disfraz; demasiado calor le había dejado dentro aquella
tierra helada. Inició un movimiento hacia el hatillo y lo
abandonó a medio camino. Volvió a fumar. Vestirse otra
vez de siberiano equivaldría al intento imposible de de-
tener el tiempo. «Y usted tendrá la culpa como un lío de
trapos», dijo, citando un verso que vino de golpe a su
memoria. ¿Quién tendrá la culpa de qué? Nadiezdha
no, sin duda; ni él tampoco. Enamorarse, ¿podía ser

una culpa? En ningún caso, en ningún caso. Más bien todo lo contrario. Y entonces, ¿por qué sufría uno tanto? ¿Por qué se desesperaba como un loco, agobiado por la tentación de golpear la pared con la cabeza como si así fuera posible quebrar el tiempo, trastocar la geografía y convertir a La Habana en un barrio de Irkust, o al menos acabar con el energúmeno de Sáchenka y dejar libre a Nadiezdha para siempre? ¡Dios, si pudiera secuestrarla! No le haría nada, lo juraba, no la tocaría porque ella le había rogado llorando que no lo hiciera. Se limitaría a calentarse a la luz de sus ojos azules, a mirar sus cabellos color platino, a escucharla bendecir o maldecir al gran Dios de los rusos, y sobre todo a quererla con calma, calladamente, a ver si así lograba dulcificar los sufrimientos y mitigar la inagotable sensación de culpa que tanto la torturaba.

Cuando fue a apagar el cigarrillo tropezó con la maleta, prácticamente lista a los pies de la cama. Mañana tendría que irse; ésa era la verdad monda y lironda. Sintió el insoportable agobio de la frustración pesándole como una losa sobre el pecho, y se dijo que después de este fracaso ya nunca conseguiría entrar en un hembra. De pronto pegó un salto y quedó de pie en medio de la estancia, exclamando: «¡No lo hice! ¿Y qué?». Su única, su verdadera diosa era Nadiezdha. Ella le había confesado que lo quería y eso era suficiente. Y si los otros dioses lo castigaban condenándolo al infierno, penaría por ella. En rigor ya lo habían condenado, pues no había castigo comparable al de perderla. Encendió otro cigarrillo mientras reconocía que en realidad la tenía perdida desde el principio. «Mientras más cerca más lejos; mientras más lejos más cerca», murmuró. La imposible pasión de Nadiezdha lo había ido sometiendo a la tortura de aquel acertijo cada vez con más fuerza, hasta alcanzar el cenit de la presión cuando ella le reconoció abiertamente que después de haberlo visto desnudo en la nieve lo deseaba como una obsesa. ¡Ay, Santa Bárbara bendita!, qué deliciosa tortura la de aquel monólogo que Nadiezdha largó en el todoterreno en presencia de Tolia y Chachai mientras se dirigían a ver la construcción del Gran puente del Suroeste. Él estaba muy jodido aquella mañana porque la tarde anterior, después de haber regresado al Cosmos desde los baños públicos de Primarievskoye, ella se negó en redondo a bajar al buffet. Y él pasó la noche en vela, evocando como una cinta sin fin el momento en que había echado a caminar por la nieve, totalmente desnudo, mientras ella se lo comía con la vista. Volvió a evocarlo ahora, se excitó tanto como entonces, y no le quedó la menor duda de que de haber tenido la oportunidad hubiese sido capaz de portarse como un hombre con Nadiezdha. Pero ella no le había dado un chance, no iba a dárselo nunca, y él concluyó que era mejor luchar por hacerse a la idea del adiós antes de bajar al restorán para acudir a su última cena siberiana. Sin embargo, se sabía derrotado en esa lucha, y por eso prefería refugiarse en el placer y la libertad de evocar la confesión que Nadiezdha le había hecho en el todoterreno, y también la cumplida respuesta que él, por fin, había tenido el coraje de darle. Hubo una tensión añadida en la circunstancia de que no estuvieran solos cuando conversaron, pero ella reventaba de ganas, según le dijo cuando subieron al auto, y precisamente por eso había escogido el Niva, donde la presencia de Tolia y de Chachai la inhibiría y el hecho de que ninguno de los dos hablara español le permitiría confesarse.

En cuanto dejaron atrás la última calleja del poblado y el todoterreno empezó a avanzar a trancas y barrancas por las infernales carreteras de la taigá en los últimos días del invierno, Nadiezdha reclinó la cabeza, cerró los ojos como si los sobresaltos del camino no tuvieran absolutamente nada que ver con ella, y con una calma apenas desmentida por la subterránea tensión de la voz dijo que iba a hablarle desde el fondo. Bárbaro tuvo entonces la vívida impresión de que ella se disponía a empezar una partida que ambos estaban condenados a perder irremediablemente. Pero desesperada por jugarla, pese a todo, y por eso aceptó sin rechistar la regla de oro que Nadiezdha estableció enseguida: dijera ella lo que dijera e hiciera lo que hiciera, él debía comprometerse a no tocarla y a no pronunciar una sola palabra hasta que ella hubiese terminado de hablar. Él estuvo de acuerdo y para demostrarlo hizo lo que le había visto hacer a ella previamente: cerró los ojos, reclinó la cabeza y se dispuso a escuchar como en un sueño, convencido de que Nadiezdha iba a hablarle desde otro. No quería, dijo ella entonces, que él regresara a Cuba sin saber cuánto la había trastornado su visita. Nunca antes había visto un extranjero, mucho menos un negro, gentes así habían sido hasta la llegada de Bárbaro seres de otro mundo. Pero cuando lo conoció en el aeropuerto de Irkust no pudo resistir la tentación de tocarle el pelo, que era suave como lana de oveja, ni de rozarle la piel oscura como la noche. Entonces lo había odiado por atraerla tanto, y había decidido confinarlo en el hotel de Irkust para no verse obligada a afrontar la tentación de tenerlo cerca. Pero él se empeñó en viajar por la Siberia profunda y ella no tuvo más remedio que acompañarlo porque no podía darse el lujo de prescindir de aquel trabajo. Lo hizo, sin embargo, con la convicción de que Siberia se bastaría sola para derrotarlo y de que él mismo iba a pedir el regreso a Cuba. No fue así, por suerte y por desgracia, y hubo un momento en que pensó que le sería posible hablarle simplemente como a un amigo, porque él, además de ser bello como el bosque, sabía susurrar como el bosque, escuchar como el bosque, y ella llevaba años hablando sola como un árbol aislado. Quizá no debió haberse abierto porque estaba quebrada, rota como un alerce herido, pero lo hizo y él entró por ese hueco como una ráfaga de viento sur sin que ella pudiera hacer nada para evitarlo.

Nadiezdha suspiró e hizo una larga pausa que Bárbaro evocó ahora, el corazón latiéndole tan intensamente como entonces, cuando ella empezó a sollozar, tragó en seco, se revolvió de pronto contra su propio sollozo y exclamó: «¡Maldito Dios de los rusos!». Había alzado la voz como si estuviera a punto de ahogarse, y Tolia se dio la vuelta y se le quedó mirando con una mezcla de asombro y estupor. Bárbaro abrió los ojos atraído por la tensión que circulaba en el todoterreno como una corriente eléctrica, vio a Nadiezdha rajarse en llanto, a Tolia bajar la cabeza avergonzado, y escuchó cómo ella se tragaba las lágrimas y clamaba de nuevo contra el injusto Dios de los rusos. ¿Por qué la había sometido también a la prueba de descubrirle que la amistad entre ellos no era más que un espejismo? ¿Por qué le había permitido contarle sus desgracias privadas precisamente al hombre que la conmovía hasta las entretelas? Madre, Mamuchka, dijo bajando la voz de pronto, con una ternura estremecedora, ¿por qué a ella, como a ti, el amor la calaba siempre en español, hasta las entretelas? Había sido una estúpida por haberse creído capaz de vencer aquel sentimiento la noche en que le contó su vida en el buffet del Cosmos, y luego tuvo el valor o la cobardía de abandonarlo y subir sola a su habitación para pasarse la noche penando por él. Sus sufrimientos no habían terminado, sin embargo, porque el Dios de los rusos le tenía reservado un castigo aún más insoportable para el día siguiente. El de mostrárselo desnudo, como un rey negro sobre la nieve blanca. Quería agradecerle esos instantes de felicidad, y explicarle que esa noche no había bajado al buffet porque no tenía control sobre sí misma. Ahora tampoco lo tenía, ahora cerraba los puños hasta hacerse daño para evitar que sus manos volaran hacia él. Estaba como loca, pero había decidido protegerse de su propio delirio. No podía traicionar a su Sáchenka, ni traicionarse a sí misma, ni mucho menos olvidar que era siberiana y estaba condenada por Dios a vivir y morir allí, entre los hielos del fin del mundo, mientras que Bárbaro vivía en el trópico, en el paraíso de La Habana, donde sin duda sería amado por muchísimas mujeres y la olvidaría en cuanto abandonara Siberia. Ya quedaba poco para el fin, le había prometido a Dios no volver a hablar jamás de cosas privadas con él, pero antes quería rogarle que la entendiera, que no la quisiera mal, que rezara por ella.

Bárbaro intuyó que Nadiezdha iba a empezar a sollozar de nuevo aun antes de escuchar cómo su respiración se entrecortaba, y ahora, al evocar aquella pasión contenida, se dijo que había hecho bien entonces, al corresponderle abriéndose el pecho y entregándole su secreto. Nunca, le había respondido sin atreverse a mirarla, como si fuera ciego, había visto ojos de un azul tan cálido, ni cabellos tan claros, ni piel tan blanca, ni alma tan torturada y transparente como la suya. En cuanto a él, siguió diciendo, inspirado por el quedo sollozar de Nadiezdha, era cierto que vivía en el trópico, pero La Habana no era el paraíso que había contado la noche en que Igor lo nombró Tamadán; su infancia, por ejemplo, había transcurrido en una mísera covacha poblada de ratas. La Habana también podía ser un infierno; sin ella, sin duda lo sería. Y ahora, antes de terminar, quería confesarle su dolor más profundo. Jamás había conocido mujer. Ella le estrechó la mano. Él evocó ahora aquel temblor que entonces había sentido como un cabo que Nadiezdha le echaba desde el otro extremo del mundo, haciéndolo experimentar la tranquilidad infinita de haberse confesado, el agradecimiento de no sentirse por ello ni juzgado ni solo y la certeza de que por fin todo había sido dicho entre ellos. Abrieron los ojos como si regresaran de un sueño, y aunque Nadiezdha retuvo la mano de Bárbaro entre las suyas, ninguno se atrevió a mirar al otro, como si tácitamente se hubiesen puesto de acuerdo en proteger contra ellos mismos aquel delicadísimo equilibrio que les permitía continuar juntos sin que los arrastrara la pasión ni los envolviera la locura.

Poco después el paisaje empezó a cambiar de color y en la medida en que avanzaban hacia el sur empezaron a imponerse los débiles brotes de los inicios de la primavera siberiana. El Niva arribó a un puente y Bárbaro se refugió en mirar la descomunal superficie congelada del río Angará; así, se dijo ahora, evocándola mientras encendía un nuevo cigarrillo, quedaría helado su corazón en la mañana del día siguiente, cuando se viera obligado a subir al avión que lo devolvería a Cuba.

Pues no lo haría, pensó con la convicción y la terquedad de un niño, no subiría al maldito avión por nada del mundo. Les tenía pánico a esos aparatos. Nadie podría obligarlo. Durante unos segundos se sintió feliz con aquella decisión que se disolvió de pronto como una voluta de humo. ¿Cómo quedarse? ¿Dónde vivir? ¿En qué trabajar si ni siquiera sabía ruso? Y sobre todo, ¿cómo imponerle su presencia a Nadiezdha? Ella estaba empeñada en serle fiel a Sacha y a lo que consideraba su destino siberiano. Y si bien no le había soltado la mano en el resto del viaje, tampoco había vuelto a hablarle de cosas personales en la dolorosísima semana que compartieron todavía, y había mantenido su promesa incluso hoy, cuando apenas les quedaban unas horas. Sus últimas palabras habían consistido en el recordatorio oficial de que la cena de despedida sería esa misma noche en el restaurante Sputnik a las nueve en punto, y para que su mensaje fuera todavía más claro no le había dado siquiera un beso en la mejilla cuando el Niva se detuvo frente al hotel y él se bajó como un fantasma.

Miró el reloj; hacía rato ya que era tiempo de vestirse para la cena. Pese a haberlo pensado mientras se duchaba, aún no había decidido qué ponerse. Una buena parte de su ropa estaba limpia, pues no la había llevado consigo a los campamentos, pero justamente ahí residía el problema. Tenía que decidir. ¿Y si se atreviera a vestirse de blanco de pies a cabeza con aquella indumentaria que había traído consigo como un talismán? Rebuscó apresuradamente en la maleta, extrajo la camisola del conjunto de lino que Lucinda le había comprado en México, se la puso y concluyó que sí, que había acertado, que a Nadiezdha le impresionaría muchísimo aquella combinación de blanco sobre negro. Tomó unos calcetines también blancos y se sentó en la cama. ¿No pasaría frío? Afuera había cuatro grados sobre cero y eso era invierno profundo para un cubano, pero el Sputnik estaba tan sólo a unos metros del hotel, para recorrerlos dispondría del grueso abrigo de marino que había traído de La Habana y eso sería más que suficiente incluso si, como pensaba, conseguía salir a pasear con Nadiezdha por las calles de Irkust después de la cena para despedirse antes de regresar a Cuba. La inminencia del adiós lo agobió de tal modo que volvió a jurar que no se iría. Se acarició las mejillas y comprobó que se había afeitado bien; si antes, durante o después de la cena tuviera al menos la oportunidad de rozar la cara de Nadiezdha con la suya, no le haría daño. Se puso el pantalón y se detuvo ante el espejo; era consciente de que Nadiezdha le había prometido al Dios de los rusos no volver a hablar de amor con él, de que su frialdad constituía una defensa contra sí misma, pero no pudo evitar que la decepción e incluso cierta cuota de rabia lo carcomieran hasta el extremo de desear provocarla intensamente aquella noche. Lo conseguiría con sólo ofrecerse ante su vista, pensó mirándose de pies a cabeza. El contraste del conjunto blanco sobre su piel negrísima, atezada y brillante impresionaría a Nadiezdha casi tanto como el haberlo visto desnudo en la nieve. ¿Cómo hablarle? ¿De qué? Puesto que ya todo estaba dicho entre ellos, tendría que limitarse a hablar de nonadas, a ser extremadamente cortés. En principio no debería serle difícil; no en balde su madre lo había educado en la idea de que un negro grosero era tan abominable como uno sucio, ladrón o analfabeto. Los blancos, le había dicho siempre Domitila, podían darse esos lujos; los prietos, jamás. El verdadero problema, sin embargo, estaba en saber cómo se comportaría Nadiezdha; si seguía distante, ¿tendría él suficiente coraje como para sonreírle? Lo hizo ante el espejo; sus dientes blancos se destacaron como una fiesta en la piel oscura. Sí, le sonreiría, y así a ella le costaría muchísimo más trabajo distanciarse.

Tomó el peine de hierro, empezó a alisarse el pelo y de pronto tuvo la inspiración de cambiarse de peinado. Miró su Poljot, eran las nueve y dos minutos de la noche. Nadiezdha y los otros ya estarían esperándolo en el Sputnik. Volvió a recordar a su madre; un negro estaba obligado a ser siempre puntual, solía decirle ella antes de añadir, reflejada en el espejo donde él se demoraba acicalándose como todo un bacán, y a peinarse como Dios mandaba. Sonrió, para Domitila peinarse como Dios quería era hacerlo del modo más parecido posible al de los blancos. ¿Por qué, si el pelo de los negros tenía otra textura? Suave como lana de oveja, le había dicho Nadiezdha, pues bien, pensó mientras empezaba a alborotarse el pelo, le daría lana. Aquello iba cada vez mejor, se dijo, mirando cómo sus cabellos se levantaban e iban perdiendo rápidamente la huella de la chabka. Ahora parecía un negro moderno, de los que salían en las películas. Nadiezdha se sorprendería al verlo, tendría que meterle mano en la cabeza o sufrir tanto como lo había hecho sufrir a él. Cerró la maleta, tomó el abrigo color azul de Prusia y se lo abotonó hasta el cuello. No estaba mal, aunque sin duda el blanco del conjunto era mucho más impresionante. Mejor, cuando se despojara del abrigo la dejaría boquiabierta. ¿Qué más? Salir corriendo. Mientras bajaba rápidamente las escaleras comprobó que llevaba consigo las dos últimas cajetillas de Populares y por primera vez lo asaltó el vehemente deseo de regresar cuanto antes a Cuba. Lo malo, se dijo al atravesar el lobby del Intourist a grandes trancos, era que tendría que hacerlo sin Nadiezdha. En la calle había cierto frío, que comparado con las gélidas temperaturas sufridas en los campamentos del norte bien podía considerarse primaveral. La luna llena creaba un difuminado halo de luz azul sobre Irkust. Le hubiera gustado mucho más caminar de la mano con Nadiezdha que acudir a la cena donde tendría que compartirla con tanta gente. Pero no había nada que hacer, se dijo, empujó la gran puerta de pomo dorado y entró al Sputnik.

El salón, iluminado por una inmensa araña, estaba bastante lleno, pero en cuanto apareció en la puerta lo empezaron a llamar desde su grupo, ubicado en una de las grandes mesas redondas del centro. Se sintió conmovido al ver juntas a todas aquellas gentes que de alguna manera resumían su viaje, y se dirigió hacia ellas sonriendo. Allí, además de Nadiezdha, Tolia y Chachai, estaban Anastas Bezujov, el Secretario de Prensa del Gobierno Regional; Boris, el Director de la maderera de Ust Ilimsk; e incluso Igor, el Ingeniero que alguna vez lo había designado Tamadán y que ahora lo interceptó a medio camino, le propinó un abrazo y lo arrastró a la mesa diciéndole algo. Bárbaro buscó a Nadiezdha con la vista, como un náufrago, y ella se acercó y le tradujo que tanto Igor como Boris habían venido especialmente a Irkust a despedirse de él, invitados por Anastas Bezujov, y que Igor tocaría la balalaika en su honor. Bárbaro agradeció el gesto, aunque lo que más le interesaba era mirar a Nadiezdha, que por primera vez aparecía ante sus ojos maquillada y con vestido de mujer. Llevaba un traje negro, de tejido sintético y barato, un collar de piedras de ocasión y un gran escote que dejaba ver el nacimiento de los pechos, unidos y levantados por la presión del sujetador como los de una corista; tenía la cabellera forzada por unos bucles, los labios pintados de un modo excesivo, con la intención evidente de hacerlos más gruesos, y también se había pasado con el colorete hasta crearse sendas chapas rojas en las mejillas; aquellos excesos estaban realzados por unos zarcillos de pedrería falsa, vagamente tropicales. En conjunto, el maquillaje resultaba patético y le afeaba muchísimo el rostro, sin conseguir disimular siquiera el rictus de amargura que le marcaba las comisuras de los labios como cicatrices que aquella noche parecían más profundas que nunca.

Quedó convencido de que ella había hecho aquel ridículo en su honor, y sólo atinó a decirle que se veía bellísima. Acudió a saludar a Anastas Bezujov y el Secretario de Prensa miró descaradamente el escote de Nadiezdha, aprovechando que debía dirigirse a ella para decirle a Bárbaro que esperaba que su reportaje contribuyera a realzar la imagen de Siberia en el mundo. Él se comprometió a que así sería mientras miraba la irritante verruga que Bezujov tenía entre las cejas y le estrechaba la mano. Después le volvió a susurrar a Nadiezdha que se veía bellísima, pero ella no le sonrió siquiera. Estaba tensa como una cuerda a punto de reventar, y cuando él se despojó del abrigo y se ofreció ante su vista de punto en blanco ella lo miró de arriba abajo con una mezcla insoportable de resentimiento y deseo, le dio la espalda y se sentó a la mesa. Él lo hizo a su lado, como correspondía, pero ella seguía rehuyéndolo; procuraba no rozarlo siquiera y le trasmitía una especie de rabia apenas contenida, como si aquel maquillaje horrible la hubiese convertido en otra persona. La situación resultaba muy desconcertante para Bárbaro, que había esperado la cena con la esperanza de compartirla con ella en una atmósfera cálida o al menos civilizada, e invitarla después a desandar las calles de Irkust a ver si eran capaces de descubrir juntos algún modo de amarse sin ofender a Sáchenka ni al Dios de los rusos. El gordo Anastas rompió el hielo, descorchó una botella de champán, propuso el primer brindis, y todos se pusieron de pie con las copas en alto y permanecieron así hasta que Nadiezdha se dignó a traducirle a Bárbaro.

—Brinda en tu honor —dijo con la vista clavada en la mesa, como si estuviera cumpliendo un castigo—, todos te desean un pronto y feliz regreso a la patria, menos yo.

Aquella precisión desconcertó aún más a Bárbaro, que hubiera deseado detenerse a aclararla de inmediato. Pero tocaba chocar copas y beber. Brindó con Nadiezdha buscando en vano que ella le devolviera la mirada, bebió hasta el fondo, y cuando alcanzó por fin a preguntarle qué había querido decirle, ella se limitó a encogerse de hombros y a pasarle una nueva botella mientras le replicaba que todos estaban esperando su brindis de respuesta para empezar a comer. Bárbaro jamás había descorchado una botella de champán; consiguió hacerlo, aunque sin poder evitar que el corcho sonara como un tiro mientras se disparaba verticalmente al salir. Todos siguieron con la vista la trayectoria del artefacto, que llegó casi hasta el techo y empezó a caer en línea recta en dirección a la fuente rebosante de salianka. Bárbaro consiguió atraparlo en el último instante, propiciando el aplauso cerrado del grupo; después rellenó las copas y se propuso responder a lo que había entendido como una provocación por parte de Nadiezdha.

—Quiero brindar por Siberia —dijo, paseando la vista por el grupo y deteniéndola en ella, que otra vez bajó la cabeza rehuyendo mirarlo—, una tierra de la que no desearía tener que marcharme nunca.

Nadiezdha tradujo y él acercó su copa dispuesto a brindar, pero ella le dio la espalda, desairándolo. El gordo Anastas acudió en ayuda de Bárbaro, brindaron, bebieron, e Igor le propinó por sorpresa un abrazo rotundo que él recibió en silencio, deseoso de empezar a comer cuanto antes para tener al menos la boca ocupada y refrenar así la acuciante necesidad de enfrascarse en una conversación privada con Nadiezdha, que pese a los desplantes seguía atrayéndolo como un abismo. Era consciente de que entre ellos ya todo había sido dicho, pero necesitaba darle espacio a sus sueños pese a saber que no tenía posibilidad alguna de materializarlos. En uno de ellos Nadiezdha lo acompañaba a Cuba; en el otro, él permanecía en Siberia. Empezó a comer y a beber buen tinto georgiano e intentó disfrutar solo aquellos sueños, pero muy pronto comprendió que la pretensión de recrear sus ilusiones sin compartirlas con ella era un sinsentido. La comida, el vino y los postres fueron magníficos, de una abundancia obscena, como sucedía siempre en las cenas oficiales en Siberia, y sin embargo Bárbaro apenas encontró placer en ellos, alterado como estaba por el creciente malhumor de Nadiezdha, que cumplió con el deber de traducir las nonadas dichas durante la comida y rehuyó obstinadamente mirarlo a los ojos. Después de los postres, Boris destapó la primera botella de vodka y luego de algunos brindis desordenados que obligaron a abrir casi de inmediato una segunda y una tercera botella, Igor extrajo la balalaika y atacó *Noches de Moscú*.

Bárbaro sintió que en ese momento acababa de empezar la fiesta y se puso al acecho, convencido de que la corriente de alcohol, música y delirio estaba llamada a crecer con tanta velocidad y fuerza como la de un gran río que terminaría por arrastrar a Nadiezdha, arrancándole la mezcla de malhumor y mutismo tras la que se había refugiado hasta entonces como tras aquella horrible máscara de maquillaje que le deformaba el rostro, y obligándola a sacar a flote, incluso contra su voluntad, por puro contagio siberiano, toda su pasión, su locura y su fuerza. Poco a poco los demás se fueron sumando a corear la balada, con excepción de Bárbaro, que pese a no poder unirse al grupo, se sintió mejor porque, para su sorpresa, Nadiezdha fue de las primeras en ponerse a cantar. Era cierto que lo hacía de un modo tan triste como la combinación del ritmo lento y la melancólica melodía de la canción que coreaba, pero él decidió que la nostalgia sin fondo de aquella voz y aquel rostro eran un homenaje a los días que habían pasado juntos, un callado grito de espanto ante la inminencia de la separación que los acechaba. Cuando terminó la pieza, se dio un largo trago de vodka para bloquear las ganas de gritar que no estaba dispuesto a separarse nunca de Nadiezdha. El gordo Anastas consideró como una insolencia que él hubiera bebido solo, e inmediatamente se encargó de informárselo, a través de Nadiezdha, añadiendo que según su criterio en una fiesta siberiana era moralmente obligatorio beber con la tribu, tras el correspondiente brindis, pues se reunían precisamente para eso, para matar la soledad. Bárbaro desechó la idea de replicarle que en Cuba cada cual bebía cuando le salía del alma y sin pensarlo dos veces propuso un brindis por el amor de Nadiezdha. Ella se volvió hacia él tan sorprendida como si hubiese recibido una bofetada, diciéndole que no podía traducir aquello, pero ni siquiera entonces se dignó mirarlo a los ojos.

—Te reto a que lo hagas —replicó él.

Nadiezdha abrió la boca como si estuviera a punto de asfixiarse. Bárbaro comprobó que el maquillaje había empezado a corrérsele, que su cara evocaba ahora la desolación de un payaso, y estuvo a punto de retirar sus palabras. Pero no fue capaz de reaccionar a tiempo. Quedó alelado al entrever que en los ojos azules de Nadiezdha había brillado de pronto una energía tan desesperada como una ráfaga de locura. Ella se puso de pie, reclamó y consiguió que se hiciera silencio, colmó todos los vasos, levantó el suyo y propuso solemnemente el brindis de amor al que Bárbaro la había retado. Se armó un gran revuelo. Hubo varias frases cruzadas que Bárbaro no fue capaz de entender. Le preguntó a Nadiezdha, pero ella no estaba en condiciones de atenderlo; se había enfrentado al gordo Anastas en una discusión que fue subiendo de tono hasta que Igor la cortó de cuajo proponiendo otro brindis. Todo parecía resuelto cuando el gordo acercó su vaso al de Nadiezdha, que se negó de plano a brindar con él. Lo hizo con Bárbaro, e inmediatamente se empinó de un solo trago el contenido íntegro del vaso. Anastas se aflojó con rabia el nudo de la corbata, dio un manotazo en la mesa y le dirigió una frase terminante y agresiva. Nadiezdha quedó lívida, con el maquillaje quebrado por una mueca de incredulidad. Parecía que iba a rajarse en llanto cuando Igor tomó la balalaika, empezó a tocar y Nadiezdha lo miró indecisa durante unos segundos, el labio inferior temblándole como el ala de una mariposa, hasta que de pronto rompió a cantar desde la raíz, como si hacerlo fuera la única puerta de escape que le quedaba en el mundo. Anastas frunció el ceño, se puso de pie y abandonó el Sputnik sin despedirse siquiera. Pero Igor no dejó de tocar ni Nadiezdha de cantar. Agobiado, Bárbaro encendió un cigarrillo, sintió que Chachai le estrechaba la mano en un gesto solidario y se lo agradeció en silencio; había entendido los grandes gestos de aquella discusión, pero no su intríngulis; se le escapaban las razones por las que Nadiezdha se había enfrentado de modo tan vehemente con su jefe y no conseguía imaginar siquiera qué podría haberle dicho éste al final para afectarla tanto. Sólo tenía claro que el brindis de amor que él propuso con el único objetivo de provocarla había terminado siendo un desastre para ella. Y no había nada que él pudiera hacer para remediarlo, ni siquiera para enterarse de qué había pasado exactamente. Ahora Nadiezdha no podía hacerle caso, estaba entregada hasta la médula a cantar *Catalina,* cuya versión traducida era conocida en Cuba, así que al menos él podía seguir aquella historia según la cual entre florecillas, manzanos y perales la joven Catalina guardaba el corazón para un soldado que cuidaba la frontera. A partir de aquel inicio bucólico la canción iba cobrando lentamente intensidad y altura hasta hacerse a la vez trágica y esperanzada, sentimientos que quebraron la voz de Nadiezdha en sucesivas alternancias de graves y agudos, permitiéndole expresar desde las entretelas aquellas dimensiones excluyentes de la vida que terminaron por desgarrar también el alma de Bárbaro, quien tan pronto se identificaba con el soldado para el que Nadiezdha guardaba el corazón como reconocía que aquel sentimiento era un espejismo, pues la frontera entre Siberia y Cuba era todo el mundo, como ella misma le había dicho alguna vez, y no había sobre la tierra soldado capaz de cuidarla ni mujer dispuesta a guardar su corazón para el vacío. Bárbaro miraba cantar a Nadiezdha preguntándose qué hacer para no perderla cuando un silbido profundo, rompedor, y a la vez perfecta y paradójicamente integrado al ritmo llamó su atención. Se volvió a tiempo para descubrir que Tolia tenía los dedos índice y corazón entre los labios, y lo vio inflar los carrillos sudorosos y repetir aquel silbido que era a la vez música, entusiasmo, homenaje a las artes respectivas de Nadiezdha e Igor y pistoletazo de salida hacia el delirio. Como quien cumple una orden, Boris se despojó de la chaqueta y la corbata y se puso en cuclillas, la espalda recta, los brazos enlazados sobre el pecho y la mirada fija en el infinito. Nadiezdha e Igor entraron de pronto en un remanso, las aguas de la locura parecían a punto de detenerse cuando Tolia silbó por tercera vez, la música y el canto volvieron a dispararse y Boris rompió a bailar. El tronco inmóvil, los brazos reposando sobre el pecho como los de un marajá, extendía la pierna derecha en el aire con majestad y calma y la retrotraía al mismo tiempo que levantaba la izquierda, quedando sin apoyo alguno durante fracciones de segundo, como si volara. Bárbaro había visto alguna vez un baile semejante en la televisión, pero aquella experiencia lejana no podía compararse en modo alguno con el milagro de ver a Boris en el aire, sudando como un cosaco, mientras respondía al ritmo cada vez más intenso de la balalaika que lo retaba a levantar las piernas con una celeridad endiablada, de manera que ahora no parecía volar, ahora volaba, se sostenía en el aire por el incesante rehilete de las piernas cuya visión provocó el entusiasmo de muchos de los comensales de otra mesas y la delirante emulación de la tribu. Igor tocaba la balalaika moviendo las manos con la velocidad de otro rehilete, Tolia soltaba a destajo silbidos tan profundos como los de una locomotora indetenible, y Boris pegó un quiebro y pasó a apoyarse sobre una mano y a bailar con todo el cuerpo en el aire al tiempo que daba vueltas en redondo como una peonza que provocó una primera salva de aplausos, y otra, y otra, y otra, y otra, hasta que Nadiezdha exclamó: «¡Jey!» con un relámpago de locura en los ojos, mirando hacia la puerta de entrada con tal intensidad que Bárbaro se desentendió de las volteretas de Boris, miró también en aquella dirección, y entre el humo y las gentes que se interponían descubrió a un tipo con aspecto de mendigo, flaco, alto y astroso, que hacía eses sin poder dominar la dirección de sus pasos, extendía la mano hacia Nadiezdha y sin embargo se iba escorando a la derecha hasta chocar con la barra del bar, donde quedó recostado. Bárbaro intuyó de golpe que aquel despojo era Sáchenka, las manos empezaron a sudarle ante el temor de que Nadiezdha corriera a socorrerlo y se volvió hacia ella, que justo en ese instante pegó una sonora palmada, subió a la mesa y volvió a exclamar: «¡Jey!» desde lo alto como una orden inapelable que la tribu obedeció de inmediato. Boris terminó de bailar con una última pirueta y le dirigió un saludo. Tolia silbó en su honor. Chachai despejó el entorno de vasos, botellas y ceniceros. Igor atenuó el ritmo de la balalaika casi hasta el silencio y Nadiezdha rompió a cantar *Kalinka* como una reina rodeada por una manada de lobos que le devoraban las piernas. Bárbaro sintió que se le encendía la sangre y alcanzó a imaginarse a sí mismo pegando un puñetazo en la mesa para acabar con aquel espectáculo. ¡Que todos supieran que Nadiezdha era su hembra! ¡Que estaba sufriendo! ¡Que ni ella ni él podían soportar la cercanía de Sacha ni la inminencia de la separación! Pero no se decidió a romper la baraja. Nadiezdha no era su hembra, ni le perdonaría que se metiera en sus asuntos, y además pegar un puñetazo sería totalmente inútil. Aquellos tipos que babeaban al agacharse hasta el mismo filo de la mesa para disfrutar los muslos, el viejo liguero, el filo de las nalgas y la sombra del monte de Venus de Nadiezdha no entenderían nada; así como estaban confundiendo aquella señal de angustia con una manifestación de alegría, interpretarían el puñetazo en la mesa como una variante de las palmas que ellos mismos batían al ritmo lentísimo con que Nadiezdha cantaba: «Kaaa liiin ka, Kaaa liiin ka, Kaaa liiin ka ma yá. ¡Jey!», mientras iba mirando sucesivamente a Bárbaro y a Sáchenka, y se apoyaba en una palmada cada vez que exclamaba «¡Jey!», creando la ilusión de que en realidad una joven llamada Kalinka estaba perdida en algún punto remoto de la taigá y ella necesitaba encontrarla y llamar su atención de inmediato para darle noticias de su amado. Pero la joven no acababa de aparecer, y Nadiezdha iba acelerando sostenidamente los giros de su mirada y el ritmo de su reclamo: «Kalinka, Kalinka, Kalinka mayá, ¡Jey!», llamándola al son de la balalaika, de las palmadas y del vibrar de su propio cuerpo, que se movía cada vez con mayor fuerza clamando por la joven perdida hasta que en un violento giro de la cabeza se le deshicieron los bucles y la cabellera color platino le cayó sobre la

cara provocando una explosión de carcajadas por parte
de la tribu y de los advenedizos que resultó subra-
yada de inmediato por sendos silbidos, uno de Tolia y
otro de Boris, tras los que Nadiezdha se decidió a bailar
desplazándose agresivamente por la mesa, la máscara
de maquillaje corrida por el sudor, los ojos marcados
por el sufrimiento, las medias rotas, el viejo liguero y
los muslos al aire, y la voz quebrada por la desesperación de estarse buscando en vano a sí misma con
la insensata esperanza de encontrarse o al menos de
exorcizar cantando los demonios que la perseguían:
«Kalinkakalinkakalinkamayá, ¡Jey!», mientras daba una
vuelta en redondo que la hizo perder pie y caer hacia delante. Bárbaro pegó un grito y se llevó las manos a la
cabeza, seguro de que Nadiezdha se estrellaría contra el
suelo y de que él estaba demasiado lejos como para impedirlo. Pero ella no llegó a caer. Tolia alcanzó a soste-
nerla como a una muñeca de trapo provocando una
nueva y formidable explosión de silbidos, aplausos y
gritos, y la tendió sobre el abrigo que Boris e Igor habían tensado en el aire y que empezaron a balancear de
inmediato con Nadiezdha a cuestas. Tolia levantó el índice como un tribuno, lo bajó con gran aspaviento y el
coro formado por la tribu y los advenedizos se le sumó
rugiendo: ¡Adín!, mientras Bárbaro tragaba en seco preguntándose qué hacer para parar aquel aquelarre, y
permanecía anonadado en medio del coro, pendiente
de las carcajadas histéricas de Nadiezdha y de las órdenes de Tolia, que levantó y bajó otra vez el índice consiguiendo que todos exclamaran a voz en cuello: ¡Dbá!, al
tiempo que él, Bárbaro, se bebía un lamparazo de
vodka a pico de botella, porque ya Tolia había vuelto a
levantar el índice y no había modo de evitar que lo ba-

jara, como efectivamente lo hizo, consiguiendo que la pequeña multitud se le sumara bramando *¡Tri!*, tras lo que Boris e Igor impulsaron a Nadiezdha por los aires, la hicieron volar como un títere, la recibieron en medio de una ensordecedora exclamación colectiva, *¡Hurráaa!*, la volvieron a impulsar con más fuerza mientras Bárbaro corría a aguantar también el abrigo, conseguía hacerlo a tiempo de verla caer acompañada por la brutal exclamación, *¡Hurráaa!*, y con una mezcla de rabia e impotencia se sumaba a la fuerza enceguecida que la proyectaba otra vez por los aires, abismado por haberla visto reír como una loca ante el delirante entusiasmo de las gentes que repetían el rito al que se sumó por puro odio, como si fuera miembro más de la tribu que exclamó a pleno pulmón en el momento de recibirla, *¡Hurráaa!*

Nadiezdha se incorporó dando traspiés como si estuviera borracha, él la ayudó a recuperar el equilibrio, la sostuvo durante un rato y la obligó a sentarse, sobrecogido por su aspecto; estaba pálida, temblorosa, sudando tanto que la máscara de maquillaje se le había transformado en una especie de borrón multicolor sobre la cara, donde, sin embargo, las marcas de las comisuras de los labios seguían destacándose como cicatrices. Igor le alargó un trago de vodka y ella lo apuró de una vez ante el estupor de Bárbaro, que extrajo un pañuelo blanco, empezó a enjugarle el sudor de la frente y siguió quitándole el maquillaje, emocionado al descubrir cómo el rostro familiar y querido de Nadiezdha iba reapareciendo ante su vista. ¡Dios!, cuánta belleza, cuánto dolor, cuánto sufrimiento y cuánta rabia concentrados en la cara de aquella mujer que de pronto se incorporó y echó a andar hacia la barra donde se había recostado Sáchenka. Él la siguió a cierta distancia dispuesto a cuidar de ella, tenso al comprobar cómo algunos hombres la piropeaban al paso, preguntándose si Nadiezdha se habría comportado como una loca para atraerlo a él, a Sáchenka, o para herirlos a ambos a la vez. Ella llegó junto a su marido y de inmediato se entabló entre ellos una discusión cuyos términos Bárbaro no alcanzaba a entender, pero que fue subiendo de tono tan rápida y violentamente como si una tormenta estuviese a punto de desencadenarse. Bárbaro empezó a acercarse a la barra. Nadiezdha pareció intuir su cercanía y lo miró durante apenas un segundo, exigiéndole en silencio con tanta desesperación e intensidad que no se metiera, que él llegó a pensar en darse la vuelta y regresar a la mesa. Pero se limitó a detenerse, lo atraía demasiado seguir mirando a Sacha, un cuarentón descuidado que enarbolaba una botella de vodka, tartajeaba al gritar y tenía los dientes podridos. Nadiezdha le arrebató la botella, la reventó en el piso y empezó a exigirle algo mientras lo empujaba por el pecho. Sacha quedó recostado a la barra, escupió en el suelo, metió la mano en el bolsillo interior de su raído chaquetón de pana y extrajo un cuchillo. Bárbaro dio un grito y un paso hacia adelante, pero Nadiezdha fue más rápida, atenazó la muñeca de Sacha, lo obligó a soltar el arma e inmediatamente se interpuso con los brazos en cruz entre él y las gentes que ya se les echaban encima. Entonces exclamó algo que detuvo en seco a la multitud, miró a Bárbaro a los ojos y le gritó como si lo abofeteara.

—¡Vete!

Él levantó la mano con la intención de acariciarla, a ver si así era capaz de paliar siquiera un poco el espantoso sufrimiento que se reflejaba en su rostro, pero ella empezó a mover las mejillas acumulando saliva junto a los labios con tanta decisión que Bárbaro sintió miedo, fue consciente de que si se atrevía a tocarla o a permanecer allí un minuto más ella le escupiría a la cara, y partió hacia el servicio a grandes trancos, con las manos en la cabeza. Bajó las escaleras como un ciego, abrió la puerta del baño de una patada, llegó hasta el primer mingitorio vacío y empezó a orinar. Sí, ahora Nadiezdha arrastraría a Sacha hasta el cubil donde vivían, el energúmeno intentaría violarla o matarla y ella tendría que volver a defenderse como una fiera, convencida de que el malvado Dios de los rusos la había condenado a cuidar del canalla de Sáchenka, mientras que él, Bárbaro, se consumiría de soledad y de rabia en su última noche siberiana. Se desplazó hasta los lavabos preguntándose cómo regresar a Cuba sin Nadiezdha, se miró al espejo y comprendió que también en su cara estaban presentes las huellas del delirio. Tenía el pelo revuelto, las pupilas dilatadas y una arruga tan profunda como una cicatriz en medio de la frente; estaba más viejo, más feo, más rabioso y más desesperado que nunca. Bajó la cabeza, se empapó la cara con agua hirviente y después con agua helada, como si fuera siberiano, y experimentó una levísima mejoría, mas al volver a mirarse al espejo comprendió que su aspecto no había cambiado en absoluto. Empezó a buscar con qué secarse y en eso se encontró frente a Tolia, que acababa de entrar al baño y que en cuanto lo vio se puso a hablarle mientras gesticulaba como un poseso. Bárbaro hizo un esfuerzo tenaz por entenderlo, pero después de cinco intentonas desesperantes, en cada una de las cuales Tolia repitió sus gestos y palabras de pe a pa en un tono de voz cada vez más elevado, apenas había conseguido comprender que Tolia estaba de su parte y descifrar un par de expresiones sueltas y sin sentido además de los nombres de Sacha y Nadiezdha, de modo que dejó a Tolia con la palabra en la boca y salió corriendo a ver si podía enterarse de qué coño había pasado en el salón.

Llegó arriba en un santiamén. No vio a Nadiezdha ni a Sáchenka y se sintió perdido. Quedaba bastante gente allí, pero no había nadie con quien pudiera cruzar siquiera dos palabras. Se acercó a la zona de la barra donde se había producido el altercado, escudriñó el suelo y no vio los trozos de vidrio, ni el cuchillo, ni tampoco los rastros de sangre que tanto temía encontrar después de las incomprensibles palabras de Tolia. Probablemente no había pasado nada más que lo peor. Nadiezdha se habría largado y no regresaría al hotel hasta la tarde del día siguiente para acompañarlo al aeropuerto y devolverlo a Cuba como un bulto. Sintió un mareo, al tocarse la frente cayó en la cuenta de que no se había secado las manos ni la cara, extrajo el pañuelo, descubrió en él las huellas del maquillaje de Nadiezdha y volvió a guardarlo como un tesoro. Su piel la secaría el aire, daba igual; todo había terminado. Recuperó el abrigo y se acercó a la mesa de la tribu donde una camarera recogía los restos del banquete que Chachai había acopiado en un extremo para abrirle espacio a Nadiezdha. Llegó a tiempo de pescar dos botellas de vodka, guardó una en el bolsillo lateral del abrigo, abrió la otra, bebió a pico y miró alrededor con una fortísima sensación de irrealidad, como si asistiera a una película en la que sólo podía participar si Nadiezdha estaba presente. Boris y Chachai chachareaban en un extremo de la mesa al que muy pronto se sumó Tolia; en el otro extremo Igor torturaba a la balalaika arrancándole sonidos estridentes como gritos. Él decidió no moverse; le sería imposible dialogar con los miembros del grupo y el dolor que expresaba la balalaika de Igor se parecía demasiado al suyo propio como para ir a escucharlo aún más de cerca. Se quedaría allí, en el centro, bebiendo hasta matarse. Encendió un cigarrillo, alzó la botella dispuesto a empinársela y al levantar la cabeza vio a Nadiezdha.

Echó a correr hacia ella, que estaba junto al bar, con el temor de estar sufriendo un espejismo. A mitad de camino chocó con alguien y dijo *Pashalsta* sin detenerse ni dejar de mirar hacia Nadiezdha, que en ese mismo momento le dio la espalda, se dirigió a la puerta y abandonó el Sputnik. En cuanto dejó de verla sufrió un mareo, tiró el cigarrillo y se detuvo. Quizá la había soñado a fuerza de evocarla tanto, aun cuando estaba seguro de haberla visto. Y si eso era verdad, si ella había regresado, ¿por qué había vuelto a marcharse? Quién sabía, pensó. Al ponerse el abrigo para disponerse a salir cayó en la cuenta de que aún tenía la botella en la mano, se dio un largo trago, la guardó en el bolsillo lateral, junto a la otra, y se dirigió a la puerta dispuesto a comprobar sus alucinaciones. Tal vez Nadiezdha había vuelto al Sputnik a explicarle algo y se había arrepentido al verlo porque ese algo era sencillamente inexplicable. Y en ese caso, ¿dónde habría dejado a Sacha? ¿En la calle, para que se congelara de una buena vez? Imposible, ya no había nieve en Irkust. Llegó junto a la puerta y salió del restaurante soñando encontrarla. Pero la acera y la avenida Dhzerzinski estaban desiertas y el vacío le produjo una impresión tan fuerte como un golpe en la nuca. Se recostó a la pared preguntándose qué hacer, concluyó que no quería regresar al Sputnik, que prefería emborracharse solo en la habitación del Intourist y prepararse así para el desgarro de la partida. Echó a caminar hacia el hotel como un sonámbulo y de pronto Nadiezdha emergió desde detrás de una columna cortándole el paso.

Quedó anonadado. Ella lo miró con los brillantes ojos azules enrojecidos por el llanto, lo llamó tonto, tonto, cubano, negro y tonto por haberse demorado en salir, lo tomó de la mano y con una rabia que no intentó disimular siquiera lo arrastró a cruzar a grandes trancos la avenida en dirección al paseo flanqueado por abedules que se iniciaba enfrente, por donde siguieron caminando al mismo ritmo rápido, como si estuvieran huyendo de algo o de alguien. Bárbaro mantuvo el largo paso de Nadiezdha mirando hacia atrás a cada rato, aunque sin atreverse a preguntarle qué había pasado, adónde iban, ni si Sacha la estaba siguiendo. Los reflejos de las luces de neón del Sputnik y del Intourist se perdieron en la distancia y el paseo quedó iluminado por la luna llena, que provocaba reflejos acerados en las ramas de los abedules y creaba a menudo la impresión de que había sombras humanas apostadas tras los árboles. Fue entonces cuando él se decidió a preguntarle qué había sido de Sáchenka. Ella le apretó la mano como si hubiese recibido un aguijonazo y se detuvo, lo había devuelto a casa en un taxi, dijo, y añadió, con una seca expresión de dolor en los ojos, ¿acaso había hecho mal? Bárbaro pensó responderle que no, que de ninguna manera, que había hecho muy bien en liberarse de aquella condena, pero la memoria de la imagen de Nadiezdha interponiéndose con los brazos en cruz entre Sacha y el mundo lo llevó a mantenerse en silencio. Ella lo miraba, pero no le permitiría ni a él ni a nadie que se entrometiera en sus relaciones con Sáchenka; lo miraba, pero su pregunta estaba dirigida en realidad al Dios de los rusos, a sí misma o al propio Sacha, y era justamente de aquella trinidad de la que había huido al regresar al Sputnik y volvió a huir ahora, al tirar de Bárbaro y reemprender el camino.

La tierra estaba tan dura que parecía asfalto, las rápidas pisadas de la pareja resonaban en ella semejantes a pasos de fugitivos y un viento fresco cortaba la noche produciendo sonidos dolorosos como ayes al rozar las ramas de los árboles. Desde la dirección hacia la que caminaban empezaron a llegar chasquidos irregulares y lejanos en cuyo fondo había una especie de ronroneo sordo y continuo como el roncar de un enorme animal dormido. En la medida en que ganaban terreno el ronroneo fue creciendo hasta transformarse en el borbotar de una corriente de pesadilla, mientras los chasquidos ganaban la dimensión de estremecimientos que alcanzaron incluso a percibirse en forma de ligerísimos temblores en la superficie del camino, como si el supuesto animal fuese en verdad gigantesco y estuviese golpeando la tierra con sus patas. Poco después el ruido creció tanto que Bárbaro descartó la idea del animal, alcanzó a preguntarse si acaso no estarían asistiendo a los inicios de un temblor de tierra e interrogó a Nadiezdha con la vista. Pero ella le sostuvo la mirada en silencio y siguió tirando de él con la misma rabia y el mismo dolor que tenía al principio de aquella excursión inexplicable, aunque sin el menor asomo de miedo en la mirada. Doblaron en un recodo donde el paseo se abría a un amplio parque y en eso se escuchó un ¡crrraaassshhh! y Bárbaro se detuvo, fascinado ante el espectáculo. Una pieza de hielo tan alta como un edificio se elevó en el centro del Angará hasta ponerse en posición vertical, se mantuvo unos segundos flotando como un monumento iluminado por la luna, y cayó a plomo contra la capa congelada que cubría aún la mayor parte de las aguas armando un estrépito sobrecogedor.

Nadiezdha volvió a tirar de él, lo hizo atravesar el parque, seguir más allá de la linde formada por setos todavía secos, descender por una ladera de tierra dura y negra y llegar a un terreno llano, prácticamente cubierto de cantos rodados, cuyo límite era la orilla del río, donde flotaban a la deriva trozos de hielo. Unos veinte metros a la derecha empezaba una escalinata que conducía a un puente de piedra sostenido en enormes pilastras, que llegaba hasta una isla situada en medio del río y alcanzaba la orilla opuesta, donde volvía a elevarse la ciudad dominada en aquel punto por las cúpulas acebolladas de la catedral ortodoxa. La suave luz de la luna llena dibujaba el perfil de Irkust, del puente y de la isla, rielada sobre las aguas del Angará e iluminaba en azul acero la gran capa congelada que se iba quebrando minuto a minuto, como una bóveda celeste destinada a desaparecer. Mirándola, Bárbaro sintió un ramalazo de frío, hundió las manos en los bolsillos laterales del abrigo y topó con las botellas que había cogido en el Sputnik. Sin pensarlo dos veces extrajo una y se la alargó a Nadiezdha, que se dio un largo trago y devolvió la botella. Bárbaro había empezado a beber cuando un nuevo ¡crrraaassshhh! lo sobresaltó. El río parecía a punto de hundirse en sí mismo en medio de un remolino; el violentísimo ruido rebotó contra la ladera de tierra negra situada a sus espaldas y Bárbaro pensó que se acercaba la hora de irse a otro sitio y lo dijo. Nadiezdha soltó una carcajada tan amarga como la que había soltado tiempo atrás, junto a la letrina de unos de los campamentos volantes. ¿Adónde?, preguntó con un destello de burla en los enrojecidos ojos azules. Él temía que aquella fuera otra pregunta sin respuesta, pero esta vez no pudo evitar el intento de darla porque tampoco era capaz de imaginar qué más podían hacer allí después de haberse emocionado mirando el deshielo. No sabía, farfulló, no era siberiano, quizá pudieran ir a un club, a un cabaret, a una posada. Ella soltó de nuevo aquella risotada feroz, más estremecedora que el frío o que el ruido, y con la nerviosa condescendencia de quien se dirige a un estúpido preguntó: ¿a un cabaret?, ¿como en Occidente acaso? Entonces lo miró a los ojos, se despojó del abrigo y lo dejó caer sobre los cantos rodados.

—Desnúdate —dijo.

Él sintió que las pupilas se le dilataban ante la posibilidad abierta por aquel reto, consciente de que había estado esperándolo durante todo su periplo siberiano, e incluso, en cierto sentido, durante toda su vida. Miró los trozos de hielo que flotaban cerca de la orilla, se dio un trago de la botella que aún tenía en la mano y pensó en escapar. Pero no atinó a dar un paso e intentó alargarle la botella a Nadiezdha. Ella puso los brazos en jarras, meneó la cabeza y su pelo color platino flotó suavemente, como una bandera. Él puso la botella entre dos cantos rodados, miró a Nadiezdha intentando trasmitirle cuánto le costaba el paso que pese a todo había decidido dar para ponerse a su altura, y se despojó del abrigo. Ella llevó las manos a la espalda, abrió el cierre de cremallera, se quitó el vestido en un santiamén y volvió a poner los brazos en jarras, las manos apoyadas ahora en la cintura blanca, breve, desnuda bajo la pálida luz de la luna. Él sintió que la verga empezaba a levantársele, se quitó la camisola y el pulóver, cruzó los brazos sobre el pecho para mantener el calor y en eso un nuevo ¡crrraaassshhh! llegó desde el río, erizándolo. Nadiezdha miró brevemente hacia la escultura de hielo que se desplazaba por el centro del Angará, soltó los zapatos, y en medio del rebote del ruido se quitó el viejo liguero y las medias rotas y abrió el broche del sostén liberando las tetas pequeñas, puntiagudas, de grandes pezones color carmesí. Él se agachó para quitarse zapatos y calcetines, vio la botella de vodka entre las piedras, se despojó del pantalón y el calzoncillo y aprovechó para darse otro largo trago, rogándoles a Changó y a Santa Bárbara que no lo abandonaran en aquel trance. El hielo cayó chirreando contra el hielo en el momento en que ella se desnudó del todo. Bárbaro sufrió un súbito escalofrío de terror ante la imagen de aquel triángulo de vellos rubios y encrespados, sintió que la verga se le recogía y pensó en huir; pero Nadiezdha lo cogió de la mano y echó a correr hacia el río. Él pensó que ella se había vuelto loca y consiguió soltarse de un tirón; entonces, como un relámpago, le vino a la cabeza la idea de que el contacto con el agua helada podría servir de justificación a su impotencia, adelantó a Nadiezdha en un par de zancadas, entró al río y sintió tanto dolor como si miles y miles de agujas se le hubiesen clavado en las piernas. Se detuvo, paralizado por el miedo, y ya no sintió nada, como si el helor lo hubiese anestesiado. Nadiezdha entró al agua gritándole que se moviera, que no debía detenerse nunca, a ningún precio. Pero él no fue capaz de reaccionar, y ella volvió a agarrarlo de la mano y lo obligó a correr aguas adentro mientras él sentía que las piernas volvían a dolerle y la picha y el corazón se le encogían. Entonces Nadiezdha dio la vuelta y lo arrastró corriendo hasta la orilla. El baño había durado unos segundos que a él le parecieron infinitos; helado y aterrado, cogió la botella, empezó a beber vodka como si bebiera agua y sólo cuando estuvo saciado se la tendió a Nadiezdha. Sin dignarse siquiera a extender la mano, ella echó a correr gritándole que no sería capaz de alcanzarla. Él permaneció inmóvil durante unos instantes, fascinado por la imagen de aquella hembra que correteaba desnuda, las crines batidas por el viento, la grupa moviéndosele como la de una yegua, el triángulo como una llamarada y los grandes ojos azules mirándolo entre la frustración y el desconcierto mientras se le acercaba, ¿acaso no quería jugar? Él respondió que sí, que claro, que desde luego, e intentó agarrarle la muñeca por sorpresa. Ella fue más rápida, lo esquivó y se alejó unos pasos. Sin dejar de mirarla, él puso la botella entre las piedras, intentó saltar hacia adelante, resbaló al apoyarse en un canto rodado y cayó de rodillas. Ella soltó una carcajada cantarina, cogió su abrigo con ambas manos, a modo de capa, y empezó a citarlo como a un toro. Él se incorporó bufando e intentó alcanzarla. No pudo. Sólo alcanzaba a moverse con la lentitud de un mulo, pero también con su terquedad, de modo que volvió a intentarlo una y otra vez inútilmente hasta que ella se le plantó enfrente.

—No me alcanzas porque no eres un hombre —dijo—. Eres una mujer.

El puñetazo la alcanzó en plena cara y la tiró de espaldas sobre las piedras. Bárbaro se miró la mano derecha como si no fuera suya. ¡Dios!, ¿cómo había sido capaz? Se arrodilló junto a Nadiezdha dispuesto a auxiliarla y a pedirle mil veces perdón, vio con horror que la nariz y los labios le sangraban y empezó a incorporarse con la intención de ir hasta la orilla y traer un trozo de hielo. Pero ella lo agarró por el pelo, lo atrajo hacia sí y le mordió los labios. Él sintió un puntazo de dolor y la mordió en el cuello. Ella le clavó las uñas en la espalda, le rodeó las caderas con las piernas y empezó a jadear. Él comprendió instintivamente que la había penetrado, sintió un calor profundo y húmedo apretándole el sexo y se dejó llevar por el deseo de moverse al ritmo feroz que le brotaba del alma. Ella pegó un grito, lo abrazó como si deseara fundirse en él y la fuerza del empuje los hizo dar vueltas sobre los cantos rodados. Él se descubrió de cara al cielo con ella encima, cabalgándolo como una potranca, una exaltación sin límites le nació en las entretelas, le subió hasta la garganta con la celeridad de un corrientazo y se transformó en un grito de plenitud; entonces la agarró por las caderas y se le derramó dentro como si vomitara. «¡Dios!», exclamó ella, se limpió la sangre de la nariz con el dorso de la mano, se tendió sobre él, le besó suavemente el labio herido y dejó reposar la cabeza en su hombro. Bárbaro miró las estrellas inmóviles mientras experimentaba una plenitud inefable. Nadiezdha era el vínculo entre el cielo y la tierra. Dios era mujer, era ella, la había conocido y ya nadie nunca podría reprocharle nada. Ni Changó, ni Santa Bárbara, ni su padre, ni el General, ni el mismísimo Dios de los rusos. Se había ganado el derecho a descansar en paz, de espaldas a la tierra, de cara a las constelaciones. En eso ella se acuclilló urgiéndolo a levantarse, y él se preguntó por qué habría de hacerlo si nunca había sido tan feliz como en aquel instante. No se levantaría. Iba a permanecer tendido aun cuando Nadiezdha empezaba a dictarle lecciones sobre Siberia, a explicarle que había una capa de conge- lación perpetua debajo de aquella tierra y que nunca, ja- más, bajo ninguna circunstancia debían dejarse descan- sar los pulmones sobre ella. Pero él estaba dispuesto a permanecer boca arriba, pese a que Nadiezdha, con aquella voz tan cómica que ponía cuando se irritaba, lo llamaba tonto, tonto, cubano, negro y tonto, mientras le metía las manos bajo los hombros esforzándose inútil- mente por levantarlo. No, ni siquiera Nadiezdha lo arrancaría del paraíso. Aquella era Orión. Allá brillaba la Osa Mayor. Y todavía más allá, en el extremo oeste, se iniciaba la fuga del misterioso Camino de Santiago. Sólo así, tendido boca arriba, le era posible percibir con todo el cuerpo la vibración de una música azul y blanca mezclada a un vértigo de formas que le provocaban una exaltación calmada como el pórtico a una paz perpetua.

Sintió un pinchazo dolorosísimo en el brazo, se sentó de un salto preguntándose qué bicho lo habría pi- cado y vio a Nadiezdha frente a él con un broche do- rado en los dedos, exigiéndole que se levantara de una vez. Volvió a tenderse, pero de inmediato comprendió que la magia de aquel instante sagrado se había roto. Ahora sentía mucho frío, y además Nadiezdha se inter- ponía entre él y las constelaciones blandiendo el mal- dito broche, que se cerraba con un largo alfiler, y advir- tiéndole que estaba dispuesta a volver a pincharlo si no levantaba inmediatamente la espalda del suelo. Se sen- tó, un escalofrío le recorrió el cuerpo, empezó a toser y ella lo cubrió con el abrigo, lo ayudó a incorporar- se llamándolo tonto, tonto, cubano, negro y tonto, se le abrazó y le dijo que había hecho un disparate del que ojalá no tuvieran que arrepentirse. Acunado por el calor de Nadiezdha y del abrigo, Bárbaro dejó de toser y disfrutó la dulzura del cuerpo desnudo de la muchacha. Pero ella volvió a romper el encanto, tenían que vestirse, dijo, después del disparate que él había hecho era peligroso permanecer así. Bárbaro pensó que el verdadero peligro consistía en romper una y otra vez el encanto de aquella noche, como volvía a hacerlo ahora Nadiezdha al separarse, acopiar las ropas regadas sobre las piedras y empezar a vestirse rápidamente. Él la imitó de muy mala gana. Las ropas le daban algo de calor, era cierto, pero también le resultaban incómodas sobre el cuerpo húmedo, al que se habían adherido aquí y allá granos de aquella arena gorda y fría que estaba bajo los cantos rodados. Cuando volvió a ponerse el abrigo se sintió un poco mejor, pero de pronto se hizo evidente que había que irse y se abrazó a Nadiezdha, que rompió a llorar como una niña. Él le miró a la cara detenidamente, como si quisiera aprendérsela de memoria. Ella tenía el pelo sucio de arena, la nariz y la boca inflamadas y manchadas de sangre, las marcas de las comisuras de los labios más profundas que nunca y una mezcla inextricable de ternura y terror en los ojos azules, arrasados por el llanto. Tras aquella máscara entrañable aleteaba el rostro de una niña y Bárbaro alcanzó a entreverlo, sin huellas de golpes, sangre, ni cicatrices; le acarició suavemente las mejillas empapadas por las lágrimas, y la estrechó con fuerza contra el pecho. Ella le acarició el pelo con la ternura de una novia y le recordó entre sollozos que debían irse. Él estuvo a punto de preguntarle adónde pero se contuvo a tiempo; sabía perfectamente que no tenían lugar. Decidió posponer la retirada siquiera unos segundos, se desplazó hasta la orilla, regresó con un trozo de hielo envuelto en la bufanda y lo aplicó al hematoma que se extendía desde la nariz hasta los labios de Nadiezdha. Ella sonrió tristemente, retuvo el hielo junto a la zona dañada, enlazó a Bárbaro por la cintura y emprendieron el camino de regreso. Entonces él redescubrió la escalinata que conducía al puente, tuvo una inspiración y la invitó a llegarse hasta la isla.

Subieron la escalinata a grandes trancos, entusiasmados como niños que han descubierto el modo de seguir jugando juntos. Desde la cabecera del puente la isla se dibujaba en medio del Angará como una promesa azul iluminada por la luna. Bárbaro miró a Nadiezdha felicitándose por no haberla retado, sino invitado a venir; acababa de comprender súbitamente que ya los retos no tenían cabida entre ellos, puesto que habían tenido el coraje de vencerlos todos, y empezó a alimentar la insensata ilusión de que podrían sobrevivir en la isla, lejos del mundo, como náufragos. El puente era batido con mucha más fuerza que las riberas por el viento helado que provenía del Angará, Bárbaro empezó a toser y Nadiezdha sugirió que quizá debían regresar. Esta vez él cedió al impulso de preguntarle adónde; pero lo hizo en un tono de total desamparo, sin el menor asomo de ironía. Quizá él se había enfermado, murmuró ella, necesitaba tomar algo caliente, arroparse y dormir antes de regresar a Cuba. La evidencia de que debía partir dentro de unas horas deprimió a Bárbaro, que empezó a sentir un leve dolor de espalda. La capa de hielo sufrió un nuevo desgarrón, el ruido hizo temblar la estructura del puente y él sufrió un escalofrío y empezó a temblar también. Pero rechazó obstinadamente la idea de regresar al hotel, pues no tenía de dónde sacar fuerzas para quedarse solo. Extrajo la segunda botella del abrigo, se dio un buen trago y la pasó a Nadiezdha, que bebió largamente. El vodka les dio calor y fuerza para llegar a la isla desierta, en cuyo centro había una pista de baile rematada por una concha acústica. En cuanto se sentaron, protegidos de la intemperie por el techo cóncavo de la concha, con las espaldas recostadas a una de las alas, Bárbaro se sintió mucho mejor. Allí no batía el viento. Tenía a Nadiezdha junto a su pecho. No necesitaba nada más.

Salvo soñar. Encendió un cigarrillo y a la primera cachada un acceso de tos lo estremeció de pies a cabeza. Tiró el prajo en medio de una súbita sensación de ahogo. Nadiezdha dejó caer el hielo que conservaba junto al hematoma, se frotó las manos, se las introdujo bajo el abrigo y la camisola y empezó a frotarle la espalda. Él se sintió afiebrado, pero no les dio importancia ni al ligero dolor de huesos ni al calor apenas incómodo, perfectos para justificar que Nadiezdha lo mimara y para contarle sus sueños, que expresó como la decisión inquebrantable de permanecer en Siberia y casarse con ella. Aquello era imposible, objetó tristemente Nadiezdha. ¿Por qué?, preguntó él; cualquier inconveniente le parecía ridículo y explicó que estaba dispuesto a aprender ruso, que podía vencer la nieve, vivir el largo invierno y la infinita noche siberiana, vérselas con las letrinas heladas, con los retos permanentes de sus futuros amigos y enemigos, e incluso ser a mucha honra el único negro en medio de todos los blancos de Siberia. Nadiezdha emitió un suspiro tan triste como un ay, ¿y Sacha?, dijo, ella lo había dejado, le había dicho aquella misma noche que no quería verlo más, que amaba a Bárbaro, pero Sáchenka estaba loco, la había amenazado con matarla, y el todopoderoso Dios de los rusos sabía que era capaz de hacerlo y que tenía derecho a ello. Bárbaro la estrechó con tanta fuerza como si quisiera protegerla de aquella insoportable sensación de culpa, consciente de que ella no le temía a Sacha, sino a sí misma. Luego de un largo silencio Nadiezdha volvió a suspirar y miró a las cúpulas multicolores de la catedral ortodoxa que se alzaban tras la otra orilla del río. Y además, murmuró de pronto, como si todo el tiempo hubiese continuado hablando consigo misma, ¿de qué iban a vivir si aquella misma noche el perro de Anastas Bezujov la había dejado sin trabajo? Bárbaro no necesitó que le dijera más para que el sentido de la breve, violenta discusión que Nadiezdha había sostenido con el gordo Anastas en el Cosmos se aclarara en su mente como un incendio. El muy hijo de puta la había despedido como represalia por el brindis de amor que un extranjero, un negro como él, la había obligado a realizar. Un nuevo ataque de tos lo estremeció; se sobrepuso y empezó a pedir perdón. Pero ella le selló los labios con el índice, y después volvió a darle masajes en la espalda mientras soñaba en voz alta, como una niña. Se iría con él a Cuba, oh, sí, se irían mañana mismo en un avión azul, y nadie, ni la policía, ni Sáchenka, ni el recuerdo de Angustias González, ni el mismísimo Dios de los rusos podría impedirlo.

Bárbaro sufrió un violento escalofrío y ella dejó de soñar abruptamente, había que irse, dijo decidida, él tenía fiebre. Pero Bárbaro se limitó a estrecharla contra su pecho y a acariciarle el pelo y de pronto sintió una visceral necesidad de hablarle de sí mismo. En cuanto empezó a contar cómo era la inmunda covacha de la calle Maloja donde su padre le pegaba con un cinturón de cuero cuando él se meaba de miedo ante las ratas, cayó en la cuenta de que jamás se había atrevido a hablarle a nadie de su vida. Ni a su madre, ni a su padre, ni siquiera a Lucinda, quienes creían saberlo todo por el mero hecho de convivir con él, ni muchísimo menos al General, que sólo tenía tiempo para escucharse a sí mismo. Con Nadiezdha, en cambio, todo era distinto. No sentía miedo, timidez ni vergüenza porque era evidente que ella vibraba en silencio con sus cuentos. Comprendía su terror ante las ratas, le dolían los golpes que él había recibido, le fascinaba el rojo sangre del titilar de las velitas de Santa Bárbara, el hacha en ristre de Changó, la ilusión de la Casa de Muñecas, y no se extrañó en absoluto de que cuando sus padres formaban el horrible monstruo de las dos espaldas en la sala de la covacha, él buscara refugio entre las piernas de su tía Lucinda, la negra más bella de la creación. Tampoco se extrañó de que él no hubiera sido capaz de entrar en una mujer hasta aquella misma noche, ni de que la figura del General hubiera sustituido a la de su padre, ya que, dijo, la gente cosechaba lo que sembraba y por lo que él le contaba Remberto sólo había sembrado golpes. Bárbaro estaba acumulando fuerzas para atreverse a contarle sus amores con el General cuando le sobrevino otro ataque de tos. Tenían que irse, le suplicó Nadiezdha, mañana le seguiría contando. Él no quería esperar a mañana, extrajo la botella, se dio un trago y dejó de toser y de temblar; de niño siempre había padecido catarro, dijo, entonces lo obligaban a tomar aceite de hígado de bacalao, que sabía a odio, pero ahora el vodka lo resolvería todo, concluyó mirando satisfecho la botella, ¿esperaban hasta terminarla?

Como en los viejos tiempos de los retos, Nadiezdha le quitó la botella de la mano, levantó la cabeza y empezó a beber sin respirar, dispuesta a vaciarla de un tirón con tal de irse enseguida. ¡Ah, siberiana!, pensó él mientras recuperaba la botella. Ella procedió a secarse el vodka que le había humedecido la sangre de los labios, se incorporó y le tendió una mano. Él se dejó ayudar sintiendo que le dolía todo el cuerpo y una vez de pie se empinó la botella. No quedaba mucho, de modo que la vació en un santiamén mientras ella le enlazaba la cintura, dispuesta a emprender el camino de regreso. Pero él tenía la botella vacía en la mano y de pronto dijo que no eran más que un par de náufragos y debían mandar un mensaje. ¿A quién?, preguntó ella, recordándole que estaba mal y debían irse cuanto antes, ¿adónde? Él empezó a toser y luego se encogió de hombros, los náufragos, dijo, jamás sabían adónde ni mucho menos a quién enviaban sus mensajes. Extrajo del bolsillo interior del abrigo un bolígrafo y una libretica y le pidió que le dictara unas palabras. «Bárbaro y Nadiezdha», dijo ella como para salir del paso. Al principio a él le pareció poco, pero en cuanto lo pensó mejor concluyó que estaba bien, que sus nombres unidos en el agua serían un modo bonito de estar juntos y que quien los leyera entendería. Apoyándose en la espalda de Nadiezdha escribió el mensaje con letra clara, arrancó la hoja, la introdujo en la botella y empezó a buscar la tapa, que debía de haber quedado en el suelo, cerca de donde habían estado sentados. Al inclinarse lo acometió otro acceso de tos; fue ella, desesperada por partir, quien encontró la dichosa tapa, selló la botella y se la entregó para que la tirara. Pero él se negó en redondo argumentando que debían hacerlo juntos, como una ceremonia. En cuanto abandonaron la concha acústica y salieron a la intemperie donde batía el viento, Bárbaro se sintió aterido. Aun así, cuando atravesaban la desierta pista de granito le pasó por la cabeza la idea de bailar allí un bolero, cantárselo al oído a Nadiezdha, y después seguir contándole su vida, sus secretos, sus amores con el General. Pero ella estaba preocupadísima y lo arrastró hasta la barandilla del puente, desde donde dejaron caer juntos la botella y la vieron perderse río abajo entre los hielos como una carta sin dirección.

Cuando emprendieron el camino de regreso, Bárbaro empezó a sentir un fuerte dolor de cabeza, como si el chirriante desgarrón de la capa de hielo que volvió a producirse en el río hubiese sonado dentro de su cráneo. Ella apretó el paso y él renunció a seguirle contando; para hablarle de sus amores con el General hubiese necesitado de una paz y de un tiempo de los que ahora carecía. Hizo un esfuerzo por seguirla mientras se preguntaba cómo retenerla; necesitaba desesperadamente acostarse a descansar, pero no concebía hacerlo sin ella. La cabeza le dolía como una desgracia, y aunque era consciente de haber bebido demasiado vodka y pescado un catarro, estaba convencido de que su creciente malestar se debía a la inminente separación de Nadiezdha. Lo atroz, lo inaceptable, era que en su caso separación equivalía a pérdida. En unas horas volaría de regreso a Cuba y ella quedaría sola, sin trabajo, a merced de un borracho enloquecido y de su propio sentimiento de culpa. Cuando arribaron a la cabecera del puente, él se detuvo para echarle una última mirada a la isla y a la ribera donde había sido tan feliz. Empezaba a amanecer, un sol pálido y lejano se desdibujaba en el cielo gris pizarra frente a la desvaída silueta de la luna. La capa de hielo había desaparecido casi por completo de la superficie del Angará, que ahora era gris como el cielo y como el estado de ánimo que embargó a Bárbaro al ceder a las súplicas de Nadiezdha y darle la espalda al río. Cuando enfilaron por el paseo en dirección al hotel, él estaba decidido a encontrar una solución a su tragedia. No llegar a tiempo al aeropuerto, por ejemplo, o bien no llegar en absoluto. ¿Quién podría impedírselo? Era cierto que su habitación y su pasaje vencían, pero le quedaba algún dinero del que le habían dado los rusos como dieta, una cantidad suficiente quizá para irse a un albergue barato por un par de semanas. Ya vería. Lo importante ahora era resistir el escalofrío que volvía a estremecerlo, acopiar fuerzas para llegar hasta el Sputnik e imaginar una solución. Comprarle a Nadiezdha un pasaje para Cuba, por ejemplo. Sería fantástico, pero él carecía de suficiente dinero y ella de permiso para salir de la Unión Soviética. Claro que una autorización de ese tipo podría tramitarse, sólo que hacerlo llevaría meses y meses y aun así el problema del dinero quedaría pendiente.

Abandonaron la protección de los árboles del paseo y se detuvieron frente a la avenida Dhzersinski, batida por el viento helado que provenía del río. Bárbaro tuvo un nuevo ataque de tos y miró incrédulo las luces de neón del Cosmos y del Sputnik, difuminadas ahora en el gris lechoso del amanecer. La promesa de una cama caliente le dio fuerzas para cruzar la avenida desolada como un cementerio y llegar a la recepción del hotel. Sentía las piernas como de estopa, ni siquiera la calefacción pudo salvarlo de la acometida de un nuevo escalofrío. Retiró la llave y le dijo a Nadiezdha que lo acompañara a la habitación, que se sentía fatal, que no quería quedarse solo. Ella midió al recepcionista, un tipo alto y cuadrado, de uniforme gris y ojos biliosos, enrojecidos por la noche en vela, y le recordó a Bárbaro que estaban en Siberia y que él era extranjero y además negro; no se podía hacer nada, no debían ni siquiera besarse para no despertar las iras de la envidia, ella no quería ir a su casa para no encontrarse con Sacha y no podía correr el riesgo de que aquel gorila la echara a la calle. Descabezaría un sueño allí mismo, en el sofá, y allí la encontraría él en un par de horas, cuando bajara para dirigirse al aeropuerto, donde se darían el beso del adiós. La última frase estremeció a Bárbaro tanto como la cálida mirada de amor que le dirigió Nadiezdha al pronunciarla. Empezó a sufrir escalofríos mientras subía lentamente la escalera sin dejar de mirar hacia la muchacha, incómodo porque el recepcionista tampoco dejaba de hacerlo. Entró a la habitación, se sentó en la cama y soltó los zapatos, pero no tuvo fuerzas para quitarse las ropas; se dejó caer de espaldas y se cubrió con la manta hasta los ojos pensando que si ella estuviera allí él no estaría temblando de aquella manera desaforada, no tendría tanto calor, tanto frío, ni tanto dolor en la espalda. Si ella estuviera allí le enjugaría el sudor helado de la frente, le alcanzaría una aspirina para ayudarlo a vencer la fiebre y un vaso de agua con que calmar la sed que le abrasaba la garganta. Se sentía arder y tiritar alternativamente, como si la cama fuese a la vez una hoguera y un bloque de hielo, pero aun así la simple certeza de que Nadiezdha existía bastaba para reconciliarlo con el mundo.

Al fin había logrado entrar en una hembra, y la conciencia de que esa hembra también había entrado en él hasta las entretelas le resultaba ahora infinitamente más importante que todo lo demás. Si no estuviese enfermo habría alcanzado la perfección, el cielo; aunque quizá aquella enfermedad debía ser bienvenida como una excusa ideal para que ella lo acompañara en el vuelo a La Habana. Junto a Nadiezdha no tendría miedo a los aviones ni al futuro, como no lo tenía ahora a la fiebre ni a la turbia somnolencia en que lo hundía el agotamiento. Evocarla le traía calma, lo sumía en una hirviente lasitud, le permitía soñar que el sordo ronroneo de su respiración correspondía en realidad al ruido de los motores del avión donde volaban juntos, que el reverberante calor que lo abrasaba era el verano de Cuba, adonde estaba arribando al fin con una mujer, con su mujer. Debajo había un sofocante bosque verde y una playa de aguas de un azul tan límpido como los ojos de Nadiezdha. Pero de pronto rompió a nevar sobre la playa, el mediodía se hizo noche y los dientes empezaron a castañetearle. Una azafata con el rostro abogotado del gordo Anastas se inclinó hacia él y lo acusó de ser negro. Se aferró a Nadiezdha, que lo besó con la boca podrida de Sáchenka mientras el avión entraba en un área de tormenta y él daba un alarido. Entonces su padre abrió la puerta de emergencia, lo levantó en vilo y lo echó de la nave a patadas. Empezó a caer a plomo por un precipicio color pizarra, estaba a punto de hundirse en el cráter de un volcán cuando la mano gigantesca del General lo levantó en el aire como a una pluma y lo depositó en un césped de hielo hirviente, donde empezó a revolcarse clamando por Nadiezdha y por su madre. Pero quien acudió fue Lucinda, aunque sólo para consumirse en un fuego feroz y dejar detrás una inclemente lluvia de ceniza helada que acabó con las fuerzas de Bárbaro, le segó la vista, le taponó los oídos y lo sumió en una inconsciencia absoluta. Horas después creyó escuchar desde muy lejos el zumbido de dos moscardones que sobrevolaban la asquerosa charca de sudores donde se revolcaba. El bosque se había podrido. Un monstruoso pájaro carpintero horadó el tronco de un árbol durante un rato interminable. Un grillo chirreó en medio de una hoguera. Los pasos inaudibles de un tigre se acercaron y un ángel le puso una mano helada en la frente.

—¡Dios mío! —exclamó quedamente Nadiezdha—. ¡Está volado en fiebres!

Bárbaro entreabrió los párpados inflamados con extrema dificultad, la vio entre sombras junto a la cama e intentó incorporarse. Pero ella se lo impidió dulce y firmemente, estaba enfermo, le dijo mientras encendía la luz del velador, no había bajado a tiempo, no había oído el timbre del teléfono ni los golpes en la puerta de la habitación, era imprescindible llamar a un médico, de ninguna manera podía viajar en ese estado y en todo caso ya había perdido el vuelo. ¿Viajar?, consiguió preguntarse él en medio de la bruma que lo confundía, ¿quién iba a viajar? Le dio vueltas lenta y torpemente a aquella pregunta sin sentido, entrevió la maleta cerrada a los pies de la cama y de pronto recordó que era justamente él quien debía hacerlo. Nadiezdha se desplazó hasta el teléfono e inició una llamada; el Ama de llaves que había entrado con ella hizo un comentario incomprensible. Bárbaro se sentó en la cama con la intención de dirigirse al baño, sufrió un mareo y tuvo que volver a tenderse. Tiritaba cuando alcanzó a comprender que su enfermedad había obrado el milagro. No podría viajar, no tendría que separarse de Nadiezdha. La vio venir, sentarse frente a él y consiguió sonreírle pese a que le dolía tanto la espalda como si le hubieran pegado un garrotazo. Ella empezó a comportarse como una enfermera rigurosa y solícita; le prohibió hablar, pero también lo sostuvo para conducirlo al baño, adonde entró con él bajo la mirada punzante del Ama de llaves. Bárbaro necesitaba urgentemente orinar, mas no se atrevía a hacerlo delante de Nadiezdha ni tenía fuerzas para quedarse solo; iba a pedirle que se volviera de espaldas cuando lo acometió un nuevo ataque de tos. Empezó a vomitar flema, sufrió un mareo y ella lo sostuvo para evitar que se cayera, siguió sosteniéndolo mientras vomitaba y también después, cuando él no tuvo otro remedio que vencer la vergüenza y consiguió orinar largamente. Al terminar se sentía vacío, y agradeció que ella lo sostuviera y lo condujera de vuelta a la cama, donde volvió a sumirse en el sopor.

El Ama de llaves abandonó la habitación para reintegrarse a su trabajo y Nadiezdha se dejó caer en un butacón orejero situado junto a la cabecera de la cama pensando que por fin, después de haber roto todas las amarras y volado todos los puentes, se había ganado el derecho de mirar a Bárbaro como a un niño dormido. ¡Dios, qué hombre tan bello! Había en su físico una especie de proporción áurea que le otorgaba aspecto de príncipe; el pelo se le enroscaba sobre sí mismo formando una corona natural, suave como lana de oveja; en el fondo de sus ojos grandes y dulces había un latido levísimo que lo hacía tan vulnerable como una mujer o un inocente; tenía los labios más gruesos y sensuales que ella hubiese besado jamás; la nariz chata, en cierto sentido cómica, de una imperfección tan atractiva que lo humanizaba; los dientes, blancos como el invierno siberiano, eran una fiesta en contraste con la piel negrísima y sin embargo tan brillante como la noche iluminada que acababan de pasar juntos; la noche más intensa que ella había vivido jamás. Le enjugó el sudor helado de la frente, le pidió a Dios que el médico llegara lo antes posible y recostó la cabeza en una de las orejas del butacón. Estaba exhausta; desde que Bárbaro había subido al cuarto, un par de horas atrás, se había sentido controlada por el recepcionista, un canalla que había empezado por preguntarle qué hacía una siberiana saliendo con un negro. Ella se limitó a informarle parte de la verdad: que trabajaba como intérprete del camarada de color, un periodista cubano que dentro de unas horas regresaría a su país y a quien ella debía acompañar al aeropuerto. El recepcionista le echó una mirada entre libidinosa y socarrona. Ella se pasó la mano por el hematoma que le inflamaba la nariz y los labios, se miró el viejo abrigo, el vestido arrugado, las medias rotas y los zapatos sucios, concluyó que tenía aspecto de puta y desistió de tenderse en el sofá por miedo a que aquel miserable de ojos biliosos le armara un escándalo y la echara a la calle. Se sentó correctamente, se cubrió con el abrigo y de inmediato empezó a sentirse incómoda. El recepcionista no le quitaba los ojos de encima. Pese a ello el agotamiento pudo más, y fue entrando en una dulce duermevela tras la que perdió del todo la conciencia. Mucho tiempo después empezó a sentir frío y a soñar que el invierno había vuelto y que ella corría por la taigá. Fue una carrera larguísima y agotadora; estaba desfallecida, a punto de detenerse, cuando se sintió penetrada por los fríos ojos de un lobo. Siguió corriendo y sintió que no conseguía distanciarse del animal pese a que éste se mantenía quieto, al acecho. Las fuerzas le fallaron, cayó al suelo y el lobo se le acercó jadeando de modo cada vez más intenso. Abrió los ojos aterrada y se serenó un tanto al reconocer la luz mortecina del lobby del Intourist. Desde el mostrador de la recepción el empleado de ojos biliosos la miraba fijamente. Ella cayó en la cuenta de que se había relajado al dormirse; el abrigo se le había caído al suelo, tenía las piernas entreabiertas y el vestido sobre las rodillas. Instintivamente, cerró las piernas, se bajó la saya y volvió a cubrirse con el abrigo. Pero el recepcionista, cubierto tras el mostrador desde la cintura hacia abajo, no cesaba de mirarla mientras jadeaba y movía el hombro derecho como aquejado por el mal de San Vito. Entre las brumas del agotamiento Nadiezdha comprendió que el muy hijo de puta se estaba masturbando, se sintió violada y pensó en abofetearlo o en gritarle al menos cuatro verdades. Mas una inagotable experiencia en recibir humillaciones le aconsejó no hacerlo. Como todos los recepcionistas de Rusia, aquel miserable sería un chivato y tendría contactos con la policía; en cambio ella no era nadie, había protagonizado un escándalo en el restaurante aquella misma noche, andaba con un negro y para colmo ni siquiera podría escudarse en que lo hacía en calidad de intérprete. Ya Sacha le había advertido que si no volvía esa noche a dormir a la casa la acusaría de haber abandonado el domicilio conyugal para fugarse con un extranjero. Fue justamente aquella amenaza la que terminó de decidir a Nadiezdha a volar los puentes, a no volver con Sáchenka ni esa noche ni nunca, y a elevar una plegaria al misericordioso Dios de los rusos pidiéndole que obrara el milagro de permitirle seguir junto a Bárbaro.

Dios la había escuchado; por eso podía darse el lujo de estar ahora mirando a Bárbaro, que dormía como un príncipe encantado. Se acomodó en el butacón y se le cerraron los ojos. Poco después intuyó que Bárbaro había dado un respingo y pegó ella misma un salto, le estrechó la mano, consiguió tranquilizarlo y se dijo que quizá también él soñaba con que era perseguido por un lobo. El mundo estaba lleno de lobos. El gordo Anastas era uno; el recepcionista, otro; ¿y Sacha? No, no, el pobre Sáchenka era sólo un enfermo. Lobos y enfermos, se dijo. También ella se sentía enferma por haberse tragado sin rechistar la humillación a que la había sometido el recepcionista; juzgaba su silencio ante aquel atropello como una cobardía, como una traición a su integridad y eso la hacía sentir sucia e indigna. Suspiró al comprender que estaba a punto de volverse a dormir como lo había hecho entonces, en la recepción, cuando el miserable terminó sus manipulaciones, dejó de mirarla y ella se sumió en la ciénaga del cansancio de la que despertó sobresaltada tres horas más tarde, intuyendo el desastre que confirmó de inmediato. El avión con destino a Moscú partiría en media hora, si no lo alcanzaban la conexión a Cuba se perdería inevitablemente. Se maldijo por haber faltado a su compromiso de despertar a Bárbaro, pero durante un brevísimo instante fue feliz acariciando la idea de no hacerlo, de retenerlo consigo para siempre; sin embargo, la certeza de que aquella ilusión era una insensatez se unió a su atávico sentido del deber haciéndola consciente de que aún tenían una oportunidad de llegar a tiempo al aeropuerto. Lo llamó por teléfono a la habitación, dejó sonar el aparato veintisiete veces, él no respondió y ella llegó a albergar el temor enloquecido de que se le hubiese escapado. Hizo un esfuerzo por convencerse de que aquella idea era un disparate, de que también él se había quedado dormido y pidió ayuda a la recepcionista del turno de día, una joven pecosa y sonriente que había sustituido al miserable del turno de noche. La joven la autorizó a subir y llamó al Ama de llaves para que la acompañara. Bárbaro no respondió tampoco a las insistentes llamadas a la puerta. El Ama de llaves abrió la habitación, Nadiezdha se precipitó dentro, lo descubrió dormido, febril, se dijo que ya era imposible llegar a tiempo al aeropuerto y le dio gracias al gran Dios de los rusos por haberla escuchado.

Pero ahora, oyendo a Bárbaro dormir con la respiración atormentada, se preguntó cuándo tardaría aún el médico del servicio de urgencias. Tonto, tonto, cubano, negro y tonto, murmuró sintiendo que odiaba a Bárbaro por haber sido tan imbécil como para recostar la espalda a la tierra helada, pese a que ella le había advertido una y mil veces que no lo hiciera. ¡Dios, qué imagen tan bella y tan serena la de aquel hombre desnudo de cara al cielo en Siberia! La guardaría consigo para siempre, se metería aquella memoria entre los pechos, la protegería así, dulcemente, para que no se le enfriara, dormiría con ella y amanecería junto a él en otro mundo, en un mundo feliz. Despertó sobresaltada por los golpes que sonaron un rato después en la puerta de la habitación; corrió a abrir y se encontró frente a una médica jovencísima y extraordinariamente delgada, que se presentó como Katia Tatchenko y le preguntó si ella era la enferma. Nadiezdha señaló hacia la cama y dijo que ella era la intérprete del enfermo, aquel camarada cubano, de color, que tenía una fiebre muy alta y no entendía una palabra de ruso. También ella tenía mala cara, dijo Katia, pidió permiso y pasó al baño a lavarse las manos. Nadiezdha se tocó el hematoma, agradeció el talante directo de aquella mujer, y con la certeza de que podría entenderse bien con ella se dirigió a la cama

y empezó a acariciar a Bárbaro para despertarlo sin sobresaltos. Pero él no respondió a las caricias. Ella siguió
insistiendo; estaba rozándole la frente enfebrecida con
los labios cuando sintió la presencia de una sombra, levantó la cabeza y se encontró frente a Katia, que
acababa de salir del baño. Incómoda consigo misma,
Nadiezdha remeció a Bárbaro hasta despertarlo. Katia
le tomó la temperatura, y como quien comunica un secreto le mostró el resultado a Nadiezdha: el termómetro
marcaba cuarenta grados y ocho décimas; después auscultó a Bárbaro e inmediatamente decidió ingresarlo.

Nadiezdha le dijo que necesitaba pasar por su casa a
recoger algo de ropa y le pidió la dirección del hospital,
pero Katia le respondió que no podía prescindir de ella
en ningún momento, de modo que era preferible acer-
carla a la casa en la propia ambulancia. Afortunada-
mente para Nadiezdha, cuando llegaron Sacha todavía
estaba durmiendo la borrachera de la noche anterior.
No lo despertó. Recogió cuatro trapos y un segundo par
de zapatos y salió del mísero apartamento que hasta entonces había sido su casa con la decisión de no volver
jamás. Al arribar al hospital, desangelado, gris, con
forma de cuartel, Bárbaro tiritaba como si sus huesos
fuesen mitad hielo y mitad fuego. No fue capaz de sostenerse sobre las piernas y alcanzó a pedir perdón por
ello, avergonzado de su enfermedad como si hubiese
fallado en el último reto. Nadiezdha le dijo que no fuera
tonto, que se callara, que ahorrara fuerzas, y disputó a
los camilleros el derecho a conducirlo en una chirriante
silla de ruedas a la secretaría, donde hizo de intérprete
en los tortuosos trámites de admisión, y luego al triste
cuarto reservado para los muy graves que les tocó en
suerte. Poco después llegó un médico calvo, bajito y

calmo, de grandes ojeras grises y pequeños ojos pardos, que le tendió la mano, se presentó como Nikolai Fiodórovich Kataiev, ayudó a Bárbaro a sentarse en la cama, le miró la lengua y los ojos, lo auscultó minuciosamente y lo sometió a un breve interrogatorio en el que Nadiezdha también hizo de intérprete. Sí, fumaba mucho, reconoció Bárbaro, atontado por la fiebre, hasta dos o tres paquetes diarios de cigarrillos negros desde los trece años; sí, tenía propensión a sufrir enfermedades respiratorias, informó en medio de un escalofrío, la última había sido una pulmonía pescada hacía poco allí en Siberia. Kataiev frunció el ceño y se dirigió a Nadiezdha, el caso era muy grave, dijo, necesitaba contar absolutamente con ella como intérprete, aunque desde luego, y por desgracia, el hospital no podía pagarle ese trabajo.

—Puede contar conmigo para todo —respondió ella—. Ese enfermo es mi hombre.

—¿Quiere decir... que usted...? —Kataiev, perplejo, la miraba a los ojos. Nadiezdha asintió con la cabeza alta. Entonces el médico hundió la suya entre los hombros como un hombre vencido y añadió suspirando—: Quizá sea mejor así para la pobre Rusia.

A partir de ese instante Nadiezdha supo que había saldado una cuenta capital consigo misma. Se sintió terriblemente libre, y siguiendo instrucciones de Kataiev desnudó a Bárbaro, lo bañó en alcohol alcanforado, le puso un pijama y se las ingenió para acopiar muestras de su orina y de su mierda; estuvo junto a él cuando una enfermera piadosa le crucificó las nalgas a pinchazos y le extrajo sangre; empujó la pesadísima silla de ruedas hasta el laboratorio donde le tomaron la radiografía de los pulmones y de vuelta a la habitación donde la enfermera volvió a tomarle la temperatura. Pero pese al baño, los antipiréticos y los antibióticos, la fiebre no le bajó ni una décima, Bárbaro cayó en un sueño profundo y agitado y ella aprovechó para darse un baño y cambiarse de ropa. Lo hizo velozmente, como si estar separada de él unos metros y unos minutos fuera un pecado o un delito, y sólo consiguió sentirse en paz consigo misma cuando volvió a estar junto a la cama, sentada en una silla metálica, mirándolo dormir y repitiendo una y otra vez la frase que la costumbre había terminado por convertir en una declaración de amor: «Tonto, tonto, cubano, negro y tonto».

Una hora después Kataiev entró en la habitación, se sentó frente a ella y le tomó las manos como un padre, casi no había esperanzas, dijo, estaban ante un caso de pulmonía doble, de una virulencia excepcional, con muchas complicaciones accesorias que habían degenerado en una sepsis. Si el enfermo no respondía a los antibióticos no habría nada que hacer, y era su deber informarle que por ahora no estaba respondiendo. Nadiezdha asintió en silencio, incapaz de entenderse a sí misma; los pequeños ojos pardos de Kataiev estaban húmedos; los suyos, en cambio, seguían absolutamente secos. El médico la besó en la frente, se ofreció a ayudarla en lo que fuera menester y le preguntó que si necesitaba algo. Nadiezdha negó con la cabeza y Kataiev se retiró en silencio, como si temiera alterarla. Entonces ella reparó en la maleta de Bárbaro, que un camillero había dejado en un extremo del cuarto, y experimentó la insólita sensación de haber iniciado al fin su viaje de novios. Sí, le había dicho él alguna vez, lo que ella había oído era verdad, en Occidente y por tanto en Cuba las parejas, después de casarse, se pasaban días y días en una playa, alejados del mundo. A ella le había costado creer en la existencia de una costumbre tan extraordinaria porque en Siberia no había nada parecido; su propia unión con Sacha, por ejemplo, había sido celebrada con una borrachera descomunal. Nada más. Con Bárbaro, sin embargo, había disfrutado de una noche en el río, aunque aquel trozo de felicidad les estaba causando tanto dolor que hubiera preferido decididamente no vivirlo. Pasó la mano por el pelo del enfermo, suave como lana de oveja, le pidió al buen Dios de los rusos que obrara el milagro de devolverlo sano y salvo a su tierra, y le prometió a cambio aceptar resignadamente el atroz castigo de perderlo.

Bárbaro murió al amanecer de su tercera noche de agonía. Nadiezdha intuyó inmediatamente el desenlace, pero no fue capaz de llorar, ni de pedir ayuda, ni de moverse siquiera de la silla donde había estado acompañándolo. Tampoco fue consciente de que el dolor de espalda que tanto la había atormentado durante aquella espera interminable desapareció de repente. Quedó insensible, como anestesiada, la mente arrasada de pronto por una visión estática tan paralizante como las Tinieblas Blancas, el extraño fenómeno que había visto alguna vez, de niña, en la única visita que hizo junto a su madre a la aldea contigua a las minas de oro de Kolymá, en el Extremo Oriente siberiano, donde su padre estaba condenado. Aquella vez la tierra cubierta de nieve blanca se había unido al cielo blanco a través del aire blanco formando un mundo blanco donde no se distinguía siquiera la línea del horizonte. Pero entonces las tinieblas blancas estaban fuera; ahora, en cambio, las tenía dentro y se sentía tan desolada como quien ha perdido definitivamente el norte. Kataiev, que acudió a la llamada de una enfermera, comprobó el deceso de Bárbaro y condujo a Nadiezdha como a una niña al pabellón de mujeres y la sedó para hacerla dormir. Al despertar, veinte horas después, ella reconoció dolorosas notas de color en su universo; fue consciente de que Bárbaro faltaba, pero no consiguió llorar y volvió a refugiarse en el sueño. A partir de entonces Kataiev empezó a visitarla en las mañanas; se sentaba a su lado, en una silla semejante a la que ella había usado para acompañar a Bárbaro, y le dedicaba breves minutos de compañía callada, que ella agradecía en silencio. Pero al sexto día apareció en la tarde sin su larga bata blanca; vestía un traje gris, gastado, y una vieja corbata negra. Nadiezdha supo de inmediato que algo excepcional había pasado, que Kataiev necesitaba hablar y no se decidía, y lo invitó a hacerlo. Venía, dijo él al fin, ocultando las manos en los bolsillos del saco, a cumplir con el deber de informarle que los restos de Bárbaro iban a ser incinerados aquella misma tarde, después, las cenizas serían enviadas a Cuba, y él deseaba ofrecerse para acompañarla a la ceremonia, si ella quería y estaba en condiciones de asistir.

Nadiezdha comprendió enseguida que aquella noticia había acabado de poner las cosas en su sitio, arrasando con los vestigios de tinieblas que todavía bloqueaban su voluntad. Durante unos segundos pensó en Domitila, en Remberto, en el General y sobre todo en Lucinda, la negra con quien había compartido el tierno corazón de Bárbaro. Hubiese deseado escribirle a aquella desconocida a quien quería en la distancia, pero sabía perfectamente que las fuerzas no le alcanzarían para hacerlo. Le dijo a Kataiev que iría, le agradeció su gentileza, y de entre los cuatro trapos que componían su ajuar escogió un vestido rojo que le hubiese gustado a los dioses de Bárbaro y se fue al baño a cambiarse. Allí comprobó que el hematoma había desaparecido de su rostro y cayó en la cuenta de que no había traído al hospital nada de maquillaje. Lo sintió mucho, pero comprendió que no tenía tiempo de enredarse en esos detalles ahora que había tomado una decisión definitiva, y regresó a la sala. Kataiev no aprobó su atuendo; se lo hizo saber sugiriéndole que quizá otro color fuera más apropiado para asistir a una ceremonia fúnebre. Nadiezdha pretendió no haberlo escuchado, se dirigió a la puerta, y Kataiev la siguió cabizbajo y vencido. Echaron a caminar hacia el crematorio, una dependencia del hospital situada entre lo que en los viejos tiempos había sido la basílica y el nuevo pabellón cáncer, a la que sólo era posible llegar saliendo a la calle y rodeando el conjunto de edificaciones cuadradas y grises como las de un campamento militar.

Era una hermosa tarde de primavera, algunos brotes verdes iluminaban las ramas de los altísimos alerces y el ruido del poderoso fluir del Angará llegaba hasta ellos desde lejos mezclado con el trino de los pájaros. Nadiezdha lamentó que Bárbaro no estuviera allí para ver y escuchar tanta belleza, pero en cuanto terminó de rodear el hospital y entró al crematorio volvió a deprimirse. Era un salón estrecho, oscuro, frío, de paredes desconchadas, en cuyo extremo había una mesa de granito sobre la que reposaba un ataúd de madera basta; detrás, empotrada en la pared, se distinguían una negra chapa de hierro y unas palancas. Junto a la mesa, esperaba una cuadrilla de tres empleados vestidos con el uniforme gris de los sirvientes del hospital. Nadiezdha atravesó el salón seguida de Kataiev, sus pasos resonando en las baldosas como en un templo vacío. No le fue dado siquiera ver a Bárbaro por última vez. El ataúd estaba sellado. No había allí ni una flor ni una vela. Ella preguntó quién lo había vestido, Kataiev le dijo que había sido un empleado y Nadiezdha lamentó en silencio no haber tenido al menos ese último privilegio. Kataiev miró su reloj de bolsillo, esperó unos segundos, hasta que fueron exactamente las cinco de la tarde, y entonces dio una breve orden con la cabeza. Dos empleados cargaron el ataúd, el tercero operó las palancas, la chapa de hierro se abrió chirriando como una horrible boca metálica y dejó entrever una cinta sin fin en movimiento, tras la que se escuchaba el sordo fragor del fuego. Nadiezdha sintió que las piernas le temblaban, se agarró a Kataiev, y los empleados depositaron el ataúd, que desapareció en la cinta mientras la boca metálica volvía a cerrarse.

Kataiev le entregó unos rublos al jefe de la cuadrilla, tomó a Nadiezdha del brazo y la acompañó a la salida. Ella estaba lívida, temblorosa, aterrada porque nuevos jirones de tinieblas blancas amenazaban con impedirle pensar. Pero cuando ganó la calle, el aire y la luz del atardecer le refrescaron la mente. Sin embargo, le dolía muchísimo la cabeza; quizá porque no había sido capaz de derramar una lágrima durante la enfermedad de Bárbaro ni después de su muerte. Tampoco lo hizo ahora. Se limitó a murmurar tonto, tonto, cubano, negro y tonto, y a lamentar que no pudieran compartir la primavera. Kataiev tuvo la delicadeza de no hablar durante el camino de regreso, hasta que se detuvo ante un desvencijado Mosvich de color negro que estaba frente a la puerta del hospital, tenía que irse a casa, dijo entonces, sacando del bolsillo del pantalón la llave del automóvil, su mujer era inválida y él no podía faltarle a aquella hora; volvió a mirar el reloj y después a los ojos de Nadiezdha, la visitaría mañana en la mañana, como siempre. Le tendió la mano, y ella tuvo la tentación de abrazarlo, pero se contuvo. No quería ser excesiva, llamar la atención, ni despertar sospechas. Estrechó la cálida mano de Kataiev, le dio gracias por todo y esperó a que subiera al automóvil, arrancara y se perdiera de vista.

Entonces cruzó la calle a grandes trancos alejándose del hospital en dirección al río. Hizo el trayecto sin fijarse en las casas, en los automóviles, ni en los transeúntes, miraba a los pájaros, a los botones de las flores en los pequeños jardines y a los brotes verdes de los árboles. Llegó frente a la avenida Dzherzinski, dobló a la izquierda y tuvo que vencer cinco largas cuadras antes de arribar a la manzana que ocupaban el Intourist y el Cosmos, donde se detuvo a recuperar el ritmo de la respiración. Cruzó la calle sin detenerse a mirar el hotel ni el restaurante, por miedo a perder tiempo, y un autobús estuvo a punto de arrollarla. No había oído el claxon ni se detuvo a escuchar tampoco los airados reclamos del conductor. Desesperaba por entrar al paseo que aquella noche había caminado junto a Bárbaro, donde ahora se llenó los pulmones del aire que olía a alerces y abedules, a uvas espinas y a mimbreras. Echó a correr, necesitaba llegar cuanto antes a la ribera; sin embargo, se detuvo frente a la formidable imagen de la corriente del Angará, que no arrastraba ahora ni un cristal de hielo, y reemprendió el camino lentamente, dispuesta a disfrutar cada segundo de aquella ceremonia. Traspasó los setos ahora verdes, descendió por la ladera, y calculó el lugar exacto donde lo había amado guiándose por la escalera de piedra que llevaba al puente. Levantó la cabeza y miró alrededor. La primavera había estallado en un torbellino de colores, con la celeridad y la fuerza con que solía hacerlo en Siberia. Allá, en la concha acústica de la isla, una orquesta tocaba una balada. Empezó a cantarla mientras se desnudaba para él como lo había hecho aquella noche. Cuando entró al agua una formidable algarabía llegó desde lo alto, miró al cielo y vio a la primera gran bandada de patos salvajes de aquella primavera sobrevolando el Angará. Entonces rompió a llorar estremecida y se sintió libre al fin, para él, donde estuviera; echó a caminar río adentro y no se detuvo cuando sus lágrimas se confundieron con el agua de la corriente que empezó a tragar mientras lo llamaba, tonto, tonto, cubano, negro y tonto.